GUIA LONDRES DE BICICLETA

Rapha®

PUBLIFOLHA

Criado por Andrew Edwards e Max Leonard, da Tandem London, estúdio gráfico, editorial e de impressão.

Agradecimentos a Henry McCausland pelas ilustrações.

Publicado originalmente no Reino Unido em 2013 por Thames & Hudson Ltd,
181A High Holborn, Londres WC1V 7QX.

Projeto gráfico de Andrew Edwards
Ilustrações de Henry McCausland, henrymccausland.com

Coordenação do projeto: Publifolha
Editora assistente: Andréa Bruno
Coordenadora de produção gráfica: Mariana Metidieri

Produção editorial: Página Viva
Coordenação: Carlos Tranjan
Tradução: Carlos Mendes Rosa
Preparação: Fátima Couto
Revisão: Angélica Errico Gomes
Diagramação: Sandra Tranjan

Dados Internacionais de Catalogação na Publicação (CIP)
(Câmara Brasileira do Livro, SP, Brasil)

Edwards, Andrew
Guia Londres de bicicleta / Andrew Edwards, Max Leonard ; [tradução Carlos Mendes Rosa]. – São Paulo : Publifolha, 2014. – (Guias de viagem de bicicleta)

Título original: City cycling London.
ISBN 978-85-7914-522-3

1. Londres (Inglaterra) - Descrição e viagens - Guias 2. Aventuras e aventureiros 3. Turismo de bicicleta I. Leonard, Max. II. Título. III. Série.

14-00607 CDD-796.64

Índices para catálogo sistemático:
1. Viagens de bicicleta : Guias 796.64

Este livro segue as regras do Acordo Ortográfico da Língua Portuguesa (1990), em vigor desde 1º de janeiro de 2009.

Impresso na Everbest, China.

PUBLIFOLHA
Divisão de Publicações do Grupo Folha
Al. Barão de Limeira, 401, 6º andar
CEP 01202-900, São Paulo, SP
Tel.: (11) 3224-2186/2187/2197
www.publifolha.com.br

Foi feito o possível para garantir que as informações deste livro fossem as mais atualizadas disponíveis até o momento da impressão. No entanto, alguns dados como telefones, preços, horários de funcionamento e informações de viagens estão sujeitos a mudanças. Os editores não podem se responsabilizar por qualquer consequência do uso deste guia nem garantir a validade das informações contidas nos sites indicados.

Os leitores interessados em fazer sugestões ou comunicar eventuais correções podem escrever para a Publifolha, Al. Barão de Limeira, 401, 6º andar, CEP 01202-900, São Paulo, SP, ou enviar um e-mail para: atendimento@publifolha.com.br

SUMÁRIO

COMO USAR ESTE GUIA

Guia Londres de bicicleta é o livro perfeito para orientar você pela capital inglesa de um jeito saudável e muito divertido. Para ajudá-lo a se locomover pela cidade, dispusemos na orelha da capa um mapa de localização dividido em cinco áreas: Soho e Mayfair *(p. 10)*, Shoreditch *(p. 16)*, Borough *(p. 22)*, Notting Hill *(p. 28)* e Hampstead *(p. 34)*. Em todas elas é fácil transitar de bicicleta e encontrar muitos cafés, bares, galerias, museus, lojas e parques. Cada área possui um mapa detalhado, no qual estão marcadas as nossas recomendações de locais de interesse e de locais para se reabastecer de café e comida, além de pontos onde há conexão Wi-Fi. Dê uma volta de bicicleta e veja o que é mais atrativo para você.

Os mapas das regiões também oferecem rotas de bicicleta, bicicletarias, estações das "Boris bikes", pontos de referência e locais específicos num grande trecho do centro da cidade – tudo de que você necessita para pedalar com segurança. Se você prefere um itinerário predeterminado, recorra a "Um dia de bicicleta", na parte interna da capa, roteiro que sugere um percurso tranquilo de 25km e atravessa partes de Londres que não são abordadas nas seções dos bairros, mas que passam por alguns dos pontos mais turísticos da cidade. Escolha as partes que mais lhe interessam, inverta o caminho se quiser e aproveite a rota do jeito que for melhor para você.

A seção "Corrida e treino" *(p. 40)* deixa você por dentro da herança ciclística de Londres e dá sugestões de passeios mais longos, caso você queira explorar a beleza natural nos arredores da cidade. Já "Informações essenciais" *(p. 44)* oferece dicas sobre a conduta no trânsito e revela os prós e contras de usar as rotas ciclísticas de Londres. Por fim, "Sites e endereços" *(p. 48)* fornece dados adicionais de que você pode precisar.

LONDRES DE BICICLETA

Será Londres uma cidade ao mesmo tempo movimentada, confusa, espalhada e congestionada? Ou uma das cidades mais verdes do mundo, onde se pode andar quilômetros através de parques e ao longo de canais sem ver um só carro, apenas uma sucessão de vilas características, ainda mais fáceis de conhecer sobre uma bicicleta? A verdade é que ambas as descrições estão corretas, mas a capital do Reino Unido tem uma cultura ciclística que evolui rápido e conquista cada vez mais gente. Ela é o lar do original Tweed Run, passeio festivo e sossegado para quem adora usar os músculos e importante palco do fenômeno mundial Bicycle Film Festival. Durante anos, o ciclismo foi considerado um esporte da minoria – os ciclistas eram até chamados de "radicais lunáticos" nos anos 1980. Hoje em dia, as bicicletas tomam as ruas de Londres, mas, infelizmente, muitos atribuem em parte esse crescimento aos atentados de julho de 2005, o que levou diversos trabalhadores a evitarem o transporte público. Felizmente, alguns daqueles que montaram numa bicicleta nunca mais pegaram o metrô.

Londres é hoje uma cidade de ciclistas. Nos horários de pico, se quiser confirmar o boom das bicicletas, dê uma olhada na Clerkenwell Road – apelidada "Hipster Spice Route" (Rota das Especiarias dos Hipsters). Duas vezes por dia, essa importante artéria leste-oeste fica lotada de ciclistas que transitam dos bairros da zona leste para o centro da cidade e depois voltam. Em qualquer ponto, a King's Road e o Embankment trazem bancários do sudoeste; a Kennington Road, trabalhadores da zona sul; e as estações da linha principal despejam diariamente milhares de pessoas bem-vestidas dos *home counties* (municípios a leste e sudeste de Londres), que desdobram sua Brompton e pedalam para o trabalho. Mas as bicicletas da capital não servem apenas a quem vai trabalhar. Mais que em qualquer outra cidade europeia, veem-se bandos de ciclistas pedalando por lazer: adolescentes em bicicletas cross ou Pashley princesses e marmanjos barbados em bicicletas de corrida. Boa parte desse renascimento se deve ao fato de os londrinos terem abraçado o esporte do ciclismo – tanto para assistir quanto para participar. As recentes conquistas, em 2012, de Chris Hoy e Victoria Pendleton nas pistas e de Bradley Wiggins na prova contrarrelógio, além de Wiggins e Mark Cavendish no Tour de France, ajudaram a tornar Londres uma cidade louca por bicicleta. Em 2014, o Tour de France incluiu Londres em seu trajeto pela segunda vez em sete anos, o que garante ruas tomadas por espectadores.

Nos fins de semana, o Regent's Park, no centro de Londres, e o Richmond Park, mais distante, na zona oeste, ganham a aparência de pistas de provas de ciclistas urbanos, mas Londres também pode ser admirada em um ritmo bem mais tranquilo – e a arma secreta do ciclista de lazer é a chamada "Boris bike". O apelido vem do prefeito ciclista e cabeludo Boris Johnson, que supervisionou a implantação em 2010 do programa Barclays Cycle Hire (esse é o nome real), ainda que a aprovação do projeto tenha sido obra de seu antecessor, Ken Livingstone. Johnson diz esperar que as bicicletas se tornem tão comuns na capital quanto os táxis pretos e os ônibus vermelhos, e elas vão ocupando as ruas devagarzinho, fazendo uma diferença enorme na vida dos londrinos. Como hoje as ruas respeitam bem mais os ciclistas, pegue a sua Boris e, por mais pesada e feiosa que ela seja, mesmo uma pedalada curta – digamos, até o teatro de Sadler's Wells ou ao longo do Mall – é uma grande diversão.

Veja como usar as estações de bicicletas em "Informações essenciais" *(p. 44)* e você não terá mais desculpa para não pedalar. Pegue uma para atravessar a Waterloo Bridge e ver a Tower Bridge, a City e St Paul, a leste; a oeste, as Casas do Parlamento, a Battersea Power Station e o famoso pôr do sol em Waterloo. Já que você não pode ir rápido e vai parecer um pouco ridículo, o jeito é sorrir.

ÁREAS

SOHO & MAYFAIR

ALTA-COSTURA, ARTE CONTEMPORÂNEA E ROCK 'N' ROLL

Soho e Mayfair ficam lado a lado, a um pulinho um do outro, ao se atravessar as grandes esplanadas da Regent Street. São delimitados ao norte pela perigosa e congestionada Oxford Street; o Piccadilly e a Leicester Square formam o seu limite sul; a oeste está a Park Lane (de novo, nada de bicicleta); a leste, as movimentadas ruas comerciais e a praça de Covent Garden. Trata-se de dois bairros – um, abastado, e o outro, meio decaído – que propiciam um dia de exploração interessante, longe dos pontos turísticos mais badalados do centro de Londres.

Até os anos 1660 (por volta do Grande Incêndio de Londres, em 1666), o Soho só tinha campos verdes, e seu progresso nunca deslanchou no estilo grandioso de Marylebone ou Mayfair, seus vizinhos ao norte e a oeste. No século XIX, o Soho foi tomado por salas de música, teatros e uma vida noturna desprezível; de certa forma, a situação ainda não mudou. Mayfair, por sua vez, foi urbanizada principalmente pelos duques de Westminster, os Grosvesnor, nome dado a uma de suas praças mais imponentes. Atualmente, Mayfair abriga embaixadas, hotéis de luxo e alguns dos apartamentos mais caros do mundo. Contudo, embora seja todo cortesia, chapéus-coco e fundos *hedge*, o bairro também se volta

para o prazer – tem vida noturna, bons restaurantes e alta-costura, tudo temperado por uma pitadinha de devassidão.

Comece no sudoeste, talvez no Shepherd Market ①, uma praça linda e tranquila. Perto dela morreram Keith Moon, do grupo The Who, e Mama Cass, do The Mamas & the Papas, num intervalo de quatro anos, no mesmo apartamento da Curzon Street; e na Half Moon Street moraram, em épocas diferentes, James Boswell e Bertie Wooster – ainda que somente na ficção, no caso da última. Outra dupla estranha de Mayfair é Georg

Friedrich Händel e Jimi Hendrix, que moraram em prédios contíguos na Brook Street – Händel, por mais de 35 anos, de 1723 até sua morte, em 1759, e Hendrix por dois anos na década de 1960, naquele que ele chamou de seu "primeiro lar verdadeiro". O imóvel, agora interligado, forma o **Handel House Museum** ②, que em 2011 esvaziou as salas para fazer uma exposição em homenagem ao 40º aniversário da morte de Hendrix.

A caminho de lá, não deixe de visitar a elegante Mount Street, abarrotada de lojas de charutos, butiques de moda e bons restaurantes, ou os elegantes **Mount Street Gardens** ③, escondidos entre quadras de mansões vitorianas. Em outro ponto de Mayfair, você encontra **Stella McCartney** ④ na Bruton Street, vários alfaiates de roupas masculinas na Savile Row e na Jermyn Street, e cortes mais contemporâneos na loja **Dover Street Market** ⑤. A Cork Street e suas redondezas contêm uma miríade de galerias particulares e *marchands*, especializados na melhor arte contemporânea e em design de interiores. Junto à Royal Academy, a **Burlington Arcade** ⑥ tem sido o ponto tradicional de joalheiros finos, muitos dos quais ainda trabalham lá; já o **Gray's Antiques Market** ⑦, virando a esquina do hotel Claridge's, é um labirinto com bancas de antiguidades, ótimo contraponto para as lojinhas de imigrantes no bairro. Entre outros destaques culturais estão a **National Gallery** ⑧ e a **Photographers' Gallery** ⑨, dotada de uma boa livraria.

Junto à Regent Street – linha divisória entre o Soho e Mayfair – está a **Liberty** ⑩, famosa loja de departamentos instalada num prédio em estilo Tudor fajuto. Perto daí se encontra a **Rapha Cycle Club** ⑪, loja da marca de bicicletas, que tem belos objetos antigos, um bom café, bolos e Wi-Fi. Mas se você quiser ingerir algo mais substancioso (a menos, é claro, que o seu bolso esteja preparado para o **Scott's** ⑫, tradicional restaurante de frutos do mar de Mayfair), pedale até o Soho para comer e beber algo mais em

conta. Há todo tipo de culinária imaginável – de churrasco a comida indiana de rua, de linguiça alemã a sushi – para satisfazer o apetite do pessoal de publicidade e mídia que trabalha na vizinhança. Novos lugares para almoçar aparecem a toda hora, e o restaurante sensação do momento muda com a mesma rapidez. Frith Street, Poland Street e D'Arblay Street são boas pedidas. Uma vez estando por lá, espie a **Phonica** ⑬ e a **Black Market Records** ⑭, lojas respeitáveis que representam duas gerações da história da dance music em Londres. Ou, para um ritmo diferente, há o também lendário **Ronnie Scott's Jazz Club** ⑮.

Não vale a pena ir à Carnaby Street, a despeito da sua história. Prefira a Newburgh Street, ou entre na **Kingly Court** ⑯ para ver mais butiques, receber uma massagem nas costas ou praticar ioga, se todo o resto for cansativo para você. **Flat White** ⑰, **Nordic Bakery** ⑱ e **Fernandez & Wells** ⑲ servem um bom café, mas nenhum deles supera o clima do **Bar Italia** ⑳. Foi para esse lugar que uma geração mais velha de ciclistas correu para saber mais sobre o Giro d'Italia, quando o ciclismo no continente europeu parecia ser coisa de outro mundo e a única fonte de informação era a cor-de-rosa *Gazzetta dello Sport*. À noite, o Soho pode ser barulhento e sórdido, mas divertido. Comece a noitada no **The John Snow** ㉑, um pub com o nome do médico que descobriu que a causa da epidemia de cólera de Londres era uma bomba d'água do local. Existem ainda uns poucos sex shops em Walker's Court, mas o resto do Soho é divertimento descarado. E, para completar, a Old Compton Street compõe um dos polos da vida noturna gay em Londres.

PARA DESCANSAR

COMIDA

Bodean's ㉒ faz costela no estilo americano. **Ray's Jazz** ㉓, café numa loja de discos (e livraria), serve sanduíches.

BEBIDA

The Blue Posts ㉔ e **Pillars of Hercules** ㉕ são pubs lendários em Mayfair e no Soho, respectivamente.

WI-FI

The Breakfast Club ㉖ oferece brunch e navegação.

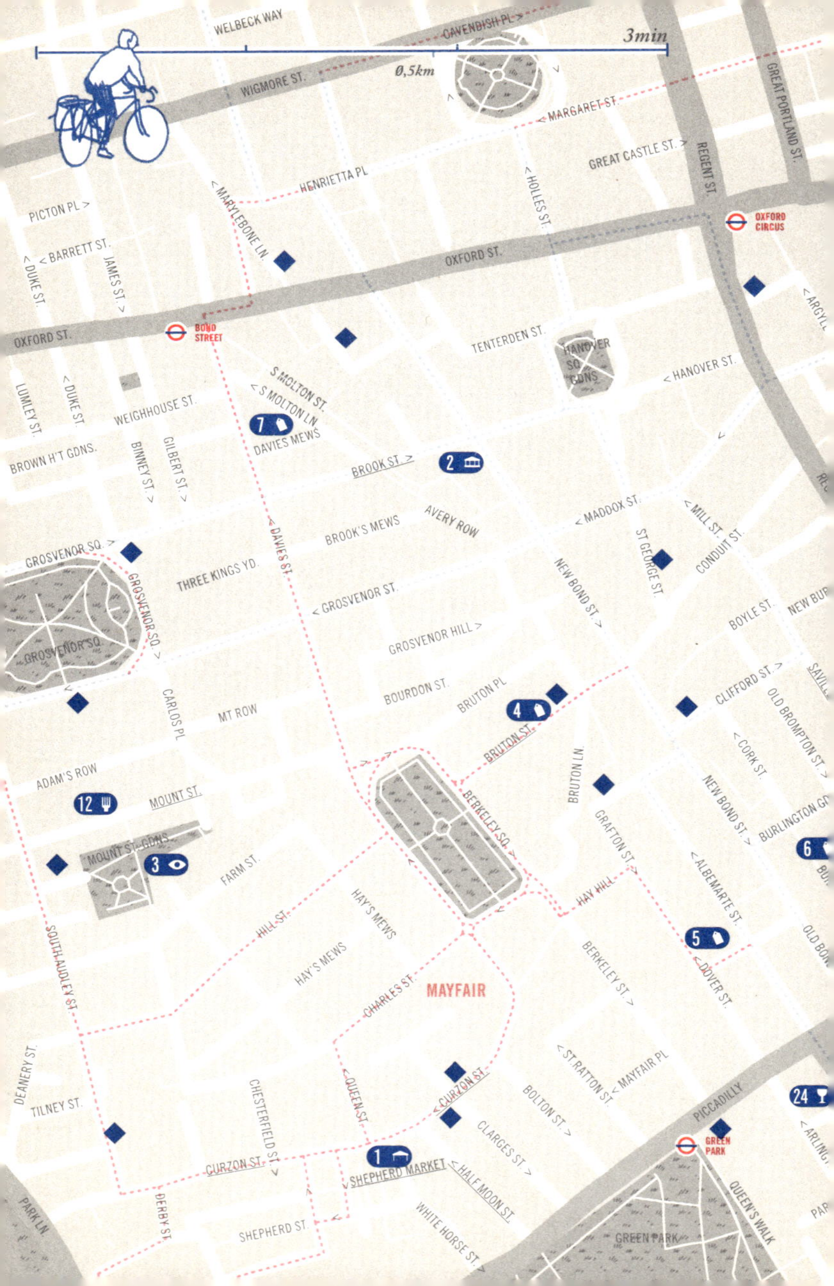
3min
0,5km
WELBECK WAY
CAVENDISH PL
WIGMORE ST.
MARGARET ST.
GREAT CASTLE ST.
REGENT ST.
GREAT PORTLAND ST.
HENRIETTA PL
MARYLEBONE LN.
HOLLES ST.
PICTON PL
BARRETT ST.
JAMES ST.
DUKE ST.
OXFORD ST.
OXFORD CIRCUS
BOND STREET
TENTERDEN ST.
HANOVER SQ. GDNS
HANOVER ST.
ARGYLL
LUMLEY ST.
S MOLTON ST.
S MOLTON LN
WEIGHHOUSE ST.
DAVIES MEWS
BROWN H'T GDNS.
BINNEY ST.
GILBERT ST.
BROOK ST.
AVERY ROW
BROOK'S MEWS
MADDOX ST.
MILL ST.
ST GEORGE ST.
CONDUIT ST.
NEW BOND ST.
GROSVENOR SQ.
THREE KINGS YD.
DAVIES ST.
GROSVENOR ST.
GROSVENOR HILL
BOYLE ST.
NEW BUR
SAVILE
BOURDON ST.
BRUTON PL
CLIFFORD ST.
OLD BROMPTON ST.
CARLOS PL
MT ROW
BRUTON ST.
CORK ST.
BRUTON LN.
ADAM'S ROW
MOUNT ST.
BERKELEY SQ.
BURLINGTON GD
MOUNT ST. GDNS.
FARM ST.
GRAFTON ST.
ALBEMARLE ST.
HAY'S MEWS
HAY HILL
SOUTH AUDLEY ST.
HILL ST.
BERKELEY ST.
DOVER ST.
OLD BON
CHARLES ST.
MAYFAIR
DEANERY ST.
STRATTON ST.
MAYFAIR PL
TILNEY ST.
CHESTERFIELD ST.
QUEEN ST.
CURZON ST.
BOLTON ST.
PICCADILLY
CLARGES ST.
GREEN PARK
ARLING
SHEPHERD MARKET
HALF MOON ST.
PARK LN.
DERBY ST.
SHEPHERD ST.
WHITE HORSE ST.
QUEEN'S WALK
PAR
1
2
3
4
5
6
7
12
24

OXFORD ST.
NEW OXFORD ST.
TOTTENHAM COURT RD
EASTCASTLE ST.
WINSLEY ST.
WELLS ST.
BERNERS ST.
NEWMAN ST.
RATHBONE PL.
HANWAY PL.
HANWAY ST.
GREAT CHAPEL ST.
SOHO SQ.
ST GILES HIGH
BERWICK ST.
HOLLEN ST.
RAMILLIES ST.
GREAT MARLBOROUGH ST.
D'ARBLAY ST.
POLAND ST.
MANETTE ST.
CHARING CROSS RD.
PHOENIX ST.
SHAFTESBURY AVENUE
BATEMAN ST.
GREEK ST.
FRITH ST.
DEAN ST.
WARDOUR ST.
BERWICK ST. MARKET
HOPKINS ST.
INGESTRE ST.
BROADWICK ST.
MARSHALL ST.
CARNABY ST.
EARLHAM ST.
TOWER ST.
WEST ST.
L'FIELD ST.
OLD COMPTON ST.
ROMILY ST.
PETER ST.
WALKER'S CT
LEXINGTON ST.
BEAK ST.
KINGLY ST.
SOHO
GREAT PULTENEY ST.
BRIDLE LN
GOLDEN SQ.
WARWICK ST.
GREAT WINDMILL ST.
ARCHER ST.
GERRARD PL
LONG ACRE
C'BOURN ST.
LISLE ST.
RUPERT ST.
BREWER ST.
SH'WOOD ST.
DENMAN ST.
GLASSHOUSE ST.
VIGO ST.
AIR ST.
LEICESTER SQ.
PICCADILLY CIRCUS
COVENTRY ST.
OXENDEN ST.
WHITCOMB ST.
REGENT ST.
SACKVILLE ST.
PANTON ST.
ORANGE ST.
ST MARTIN'S ST.
ST ALBAN'S ST.
HAYMARKET
PICCADILLY
JERMYN ST.
APPLE TREE YD.
DUKE ST.
PALL MALL EAST
PALL MALL
COCKSPUR ST.
TRAFALGAR SQ.
CHARLES II ST.
MASONS YD.
ST JAMES SQ.
BURY ST.
RYDER ST.
KING ST.
CARLTON HOUSE TERRACE
HORSE RIDE
THE MALL
8
11
13
14
15
17
18
19
20
21
22
23
25
26

SHOREDITCH

VIDA NOTURNA VIBRANTE, BUTIQUES DA MODA E GALERIAS

Se voltarmos vinte anos no tempo, essa parte da zona leste de Londres era bem diferente: armazéns vazios, festanças, artistas jovens e, na Brick Lane, indústrias têxteis e uma grande comunidade de bengaleses. Os artistas se foram – mudaram-se para Hackney Wick (fora do mapa), em busca de algo mais moderno –, mas a região continua vibrante e é, sem dúvida, o núcleo do ciclismo na capital.

Ao sul está a City, o coração financeiro de Londres, que vale a pena conhecer de bicicleta nos fins de semana, quando as ruas estão desertas; ao norte, você encontra o enorme condomínio De Beauvoir Town e muitas rotas para Dalston (veja, no mapa principal, um local de boa comida turca e casas noturnas da moda). Entre Shoreditch e o West End está Clerkenwell, a área de design e arquitetura de Londres, e **Smithfield** ①, que durante o dia abriga um mercado de carne (a região tem relação com criação de animais há mais de mil anos) e, à noite, oferece ótimos restaurantes e bares.

Se você vier pelo oeste, pare no café-bicicletário **Look Mum, No Hands** ② (veja também "Um dia de bicicleta"). Lá você encontra uma boa oficina, ótima comida e exposições constantes de bicicletas

e arte correlata. Além do canal, de oeste a leste há ruas tranquilas. A Old Street, movimentada mas transitável, é, porém, a rota mais usada pelos trabalhadores. A **Whitecross Street** ③ também tem várias banquinhas com boa comida, na hora do almoço, e restaurantes, à noite, mas é melhor evitar os bares e restaurantes na própria Old Street. Desça a Leonard Street até **The Book Club** ④, um bar e local de eventos culturais; por outro lado, também há bares, cafés e livrarias na Rivington Street. Do lado oposto à Shoreditch High Street, na Redchurch Street, onde também há boas galerias e bares, estão a **Labour and Wait** ⑤, com lindos utensílios domésticos à moda antiga, e a **Albion** ⑥, padaria e café que também serve brunch – mas você pode comprar frutas e queijo para fazer um piquenique na vizinha **Arnold Circus** ⑦. A **Hoxton Square** ⑧ era o local da antiga galeria White Cube e da influente casa de shows Blue Note; hoje existem mais bares e, em dias de sol, um desfile de moda que vai do fascinante ao ridículo. Dirija-se à Hoxton Street para tomar, em paz, um *pint* no **The Red Lion** ⑨, ou suba mais até o **The Macbeth** ⑩, para usufruir de uma diversão mais simplória.

Alguns dos mercados mais famosos de Londres encontram-se na região: o da **Columbia Road** ⑪, de plantas e flores (aos domingos), e o da **Spitalfields** ⑫, de alimentos e coisas mais turísticas. A Brick Lane tem aos domingos uma feira livre que oferece quinquilharias, roupas, bons artigos de segunda mão e algumas bobagens, mas até se pode achar objetos mais interessantes – usados, antiguidades e moda vintage – logo ao lado, no pátio atrás da **Truman Brewery** ⑬ e na Cheshire Street. Cuidado com sua bicicleta, porque o lugar fica lotado! A Brick Lane também é um local de vida noturna, repleto de bares e casas de show. Coma numa das diversas lanchonetes indianas: a concorrência é acirrada, e não dá para apontar a melhor. Se quiser algo um pouco mais genuíno vindo da Índia, experimente o Original Lahore Kebab House ou o Tayyabs, ambos mais ao sul, em Whitechapel (fora do mapa).

Do outro lado do extremo leste da Columbia Road está a **Hackney City Farm** ⑭. Visite os porcos e depois vá ao café para comer o ótimo bacon – o melhor café da manhã com frituras na zona leste de Londres! Lá também há uma bicicletaria. Por fim, suba a Goldsmith's Row até o **Lock 7 Cycle Café** ⑮, no começo da Broadway Market (fora do mapa), e depois volte à cidade pelo Regent's Canal, parando no **Towpath** ⑯, um charmoso café abaixo da Whitmore Bridge.

PARA DESCANSAR

COMIDA

Rochelle Canteen ⑰ oferece comida requintada no abrigo de bicicletas de uma escola antiga.

BEBIDA

Nude Espresso ⑱ tem o melhor café da Oceania; **Pretorius** ⑲ serve café e doces numa agradável bicicletaria.

WI-FI

Fix Coffee ⑳ e **The Old Shoreditch Station** ㉑ possuem conexão grátis.

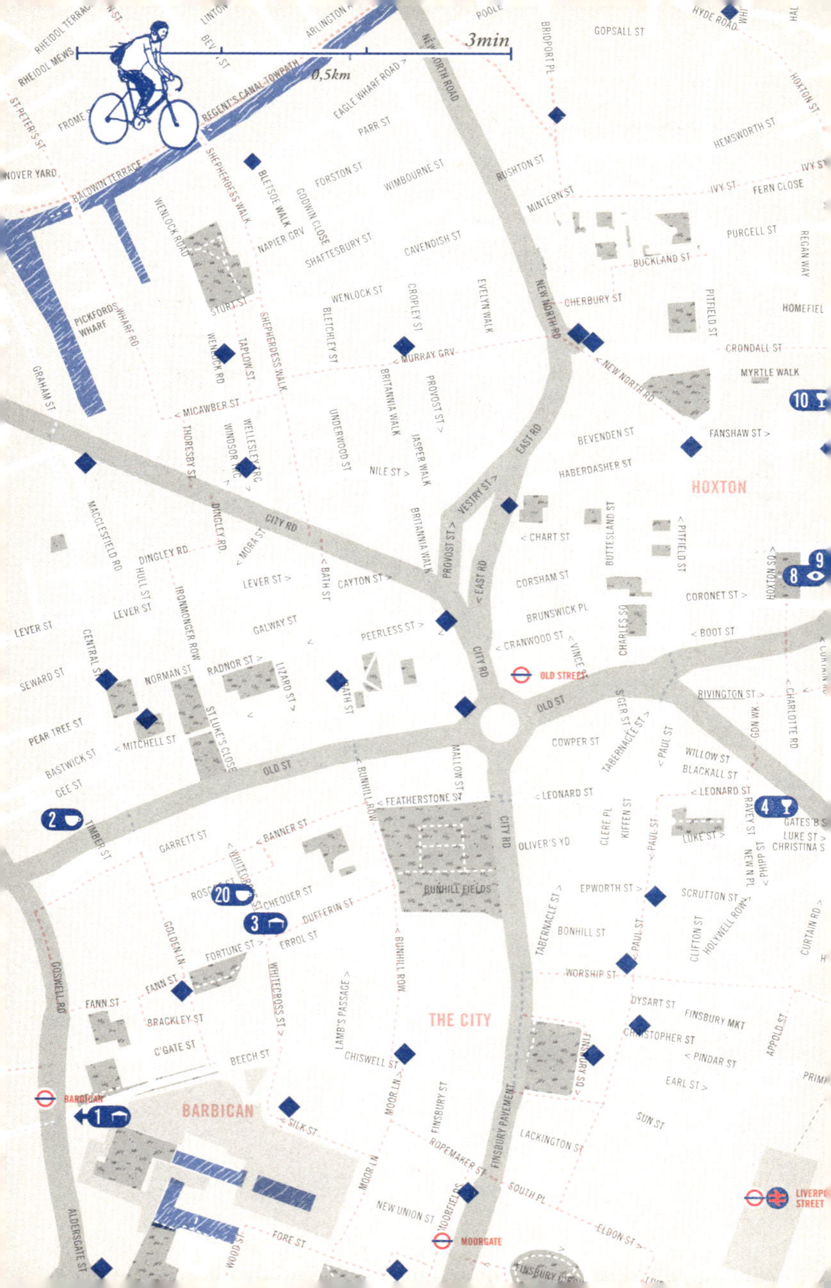

3min
0,5km
REGENT'S CANAL TOWPATH
RHEIDOL TERRACE
RHEIDOL MEWS
ST PETER'S ST
FROME ST
ARLINGTON AV
EAGLE WHARF ROAD
NEW NORTH ROAD
POOLE ST
BRIDPORT PL
GOPSALL ST
HYDE ROAD
HOXTON ST
HEMSWORTH ST
PARR ST
BALDWIN TERRACE
SHEPHERDESS WALK
BLETSOE WALK
FORSTON ST
WIMBOURNE ST
RUSHTON ST
MINTERN ST
IVY ST
FERN CLOSE
PURCELL ST
REGAN WAY
WENLOCK ROAD
NAPIER GRV
GODWIN CLOSE
SHAFTESBURY ST
CAVENDISH ST
BUCKLAND ST
STURT ST
PICKFORDS WHARF
WHARF RD
WENLOCK ST
CROPLEY ST
EVELYN WALK
CHERBURY ST
PITFIELD ST
HOMEFIELD
WENLOCK RD
TAPLOW ST
BLETCHLEY ST
MURRAY GRV
CRONDALL ST
MYRTLE WALK
GRAHAM ST
NEW NORTH RD
MICAWBER ST
BRITANNIA WALK
PROVOST ST
UNDERWOOD ST
JASPER WALK
EAST RD
BEVENDEN ST
FANSHAW ST
10
THORESBY ST
WINDSOR TRC
WELLESLEY TRC
NILE ST
HABERDASHER ST
HOXTON
CITY RD
MACCLESFIELD RD
DINGLEY RD
MORA ST
VESTRY ST
CHART ST
BUTTESLAND ST
PITFIELD ST
DINGLEY RD
HULL ST
LEVER ST
BATH ST
CAYTON ST
PROVOST ST
EAST RD
CORSHAM ST
CORONET ST
HOXTON SQ
9
8
IRONMONGER ROW
LEVER ST
GALWAY ST
PEERLESS ST
BRUNSWICK PL
CHARLES SQ
BOOT ST
CENTRAL ST
CRANWOOD ST
VINCE ST
SEWARD ST
NORMAN ST
RADNOR ST
LIZARD ST
OLD STREET
RIVINGTON ST
CHARLOTTE RD
PEAR TREE ST
MITCHELL ST
ST LUKE'S CLOSE
OLD ST
COWPER ST
TABERNACLE ST
PAUL ST
WILLOW ST
BLACKALL ST
BASTWICK ST
GEE ST
BUNHILL ROW
MALLOW ST
FEATHERSTONE ST
LEONARD ST
RAVEY ST
2
4
GATES
LUKE ST
CHRISTINA S
TIMBER ST
GARRETT ST
BANNER ST
OLIVER'S YD
CLERE PL
KIFFEN ST
NEW N PL
PHIPP ST
WHITECROSS ST
20
CHEQUER ST
BUNHILL FIELDS
EPWORTH ST
SCRUTTON ST
3
DUFFERIN ST
ERROL ST
TABERNACLE ST
BONHILL ST
CLIFTON ST
HOLYWELL ROW
CURTAIN RD
GOLDEN LN
FORTUNE ST
WORSHIP ST
GOSWELL RD
FANN ST
LAMB'S PASSAGE
DYSART ST
FINSBURY MKT
FANN ST
BRACKLEY ST
THE CITY
CHRISTOPHER ST
APPOLD ST
C'GATE ST
BEECH ST
CHISWELL ST
FINSBURY SQ
PINDAR ST
EARL ST
BARBICAN
1
SILK ST
MOOR LN
FINSBURY ST
FINSBURY PAVEMENT
LACKINGTON ST
SUN ST
ROPEMAKER ST
MOOR LN
SOUTH PL
MOORFIELDS
NEW UNION ST
LIVERPO
STREET
ALDERSGATE ST
WOOD ST
FORE ST
MOORGATE
ELDON ST
FINSBURY CIRC

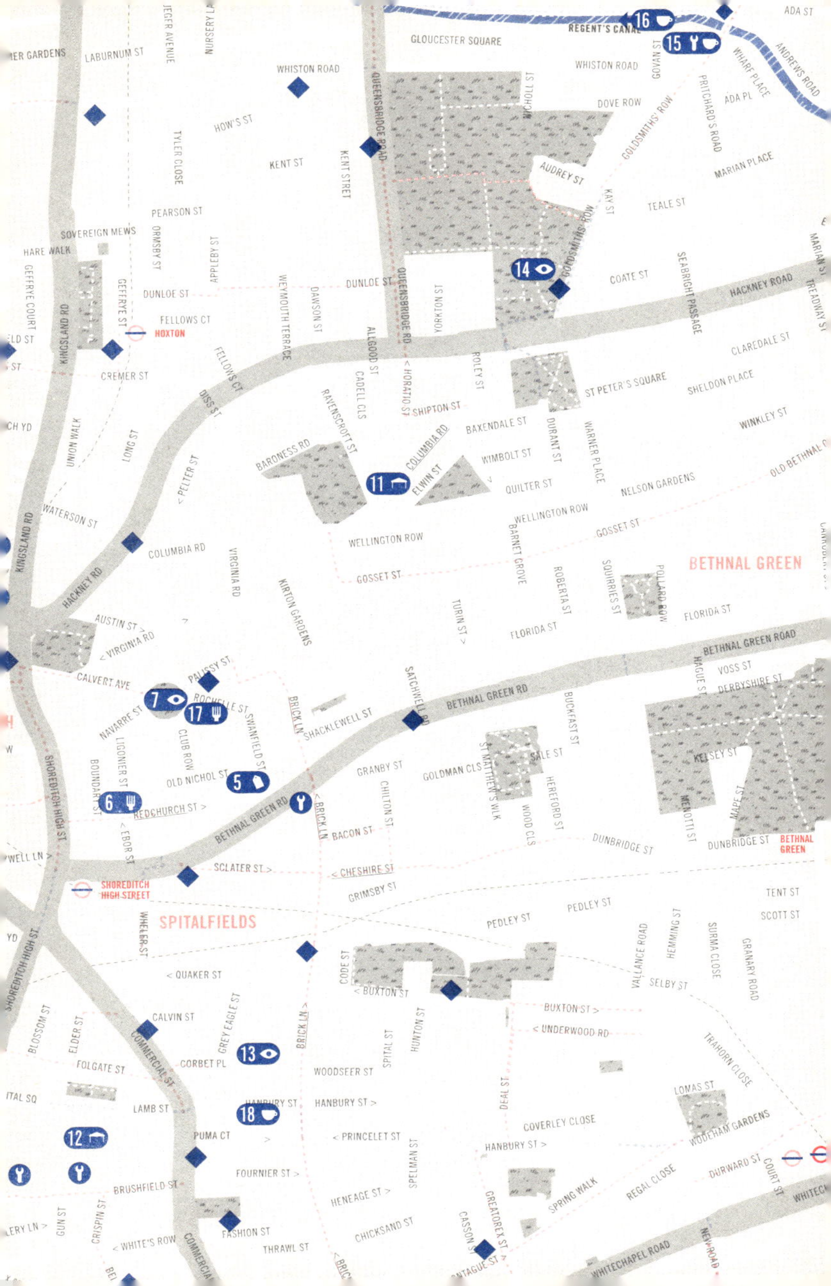

ADA ST
REGENT'S CANAL
16
15
GLOUCESTER SQUARE
LABURNUM ST
JEGER AVENUE
NURSERY LA
WHISTON ROAD
WHISTON ROAD
WHARF PLACE
ANDREWS ROAD
GOVAN ST
PRITCHARD'S ROAD
ADA PL
DOVE ROW
GOLDSMITHS' ROW
NICHOLL ST
HOW'S ST
TYLER CLOSE
KENT ST
KENT STREET
QUEENSBRIDGE ROAD
AUDREY ST
MARIAN PLACE
KAY ST
TEALE ST
PEARSON ST
SOVEREIGN MEWS
HARE WALK
ORMSBY ST
APPLEBY ST
GOLDSMITHS' ROW
14
COATE ST
SEABRIGHT PASSAGE
HACKNEY ROAD
MARIAN ST
TREADWAY ST
GEFFRYE COURT
GEFFRYE ST
DUNLOE ST
DUNLOE ST
WEYMOUTH TERRACE
DAWSON ST
QUEENSBRIDGE RD
YORKTON ST
KINGSLAND RD
FELLOWS CT
HOXTON
ALLGOOD ST
CLAREDALE ST
CREMER ST
FELLOWS CT
CADELL CLS
HORATIO ST
ROLEY ST
ST PETER'S SQUARE
SHELDON PLACE
DISS ST
RAVENSCROFT ST
SHIPTON ST
BAXENDALE ST
DURANT ST
WARNER PLACE
WINKLEY ST
UNION WALK
LONG ST
BARONESS RD
COLUMBIA RD
WIMBOLT ST
OLD BETHNAL G
PELTER ST
11
ELWIN ST
QUILTER ST
NELSON GARDENS
WATERSON ST
WELLINGTON ROW
WELLINGTON ROW
GOSSET ST
BARNET GROVE
COLUMBIA RD
VIRGINIA RD
GOSSET ST
ROBERTA ST
SQUIRRIES ST
POLLARD ROW
BETHNAL GREEN
KINGSLAND RD
HACKNEY RD
KIRTON GARDENS
TURIN ST
FLORIDA ST
FLORIDA ST
AUSTIN ST
VIRGINIA RD
BETHNAL GREEN ROAD
CALVERT AVE
PALISSY ST
SATCHWELL RD
VOSS ST
HAGUE ST
DERBYSHIRE ST
7
ROCHELLE ST
17
BRICK LN
BETHNAL GREEN RD
BUCKFAST ST
NAVARRE ST
SWANFIELD ST
SHACKLEWELL ST
CLUB ROW
ST MATTHEW'S WLK
SALE ST
LIGONIER ST
KELSEY ST
GRANBY ST
GOLDMAN CLS
OLD NICHOL ST
5
BOUNDARY ST
CHILTON ST
HEREFORD ST
6
REDCHURCH ST
BETHNAL GREEN RD
BRICK LN
WOOD CLS
MENOTTI ST
MAPE ST
SHOREDITCH HIGH ST
BACON ST
EBOR ST
DUNBRIDGE ST
DUNBRIDGE ST
BETHNAL GREEN
SCLATER ST
CHESHIRE ST
SHOREDITCH HIGH STREET
GRIMSBY ST
TENT ST
SPITALFIELDS
PEDLEY ST
PEDLEY ST
SCOTT ST
WHELER ST
CODE ST
VALLANCE ROAD
HEMMING ST
SURMA CLOSE
GRANARY ROAD
QUAKER ST
BUXTON ST
SELBY ST
SHOREDITCH HIGH ST
BUXTON ST
BLOSSOM ST
ELDER ST
CALVIN ST
GREY EAGLE ST
HUNTON ST
UNDERWOOD RD
COMMERCIAL ST
BRICK LN
SPITAL ST
TRAHORN CLOSE
13
CORBET PL
FOLGATE ST
WOODSEER ST
DEAL ST
LOMAS ST
ITAL SQ
LAMB ST
HANBURY ST
HANBURY ST
18
COVERLEY CLOSE
WODEHAM GARDENS
12
PUMA CT
PRINCELET ST
HANBURY ST
SPELMAN ST
DURWARD ST
COURT ST
FOURNIER ST
BRUSHFIELD ST
HENEAGE ST
SPRING WALK
REGAL CLOSE
WHITECH
CRISPIN ST
GUN ST
FASHION ST
CHICKSAND ST
CASSON ST
CREATOREX ST
LERY LN
WHITE'S ROW
THRAWL ST
COMMERCIAL
BRIC
MONTAGUE ST
WHITECHAPEL ROAD
NEW ROAD

BOROUGH

PARAÍSO GASTRONÔMICO, MUSEUS INUSITADOS E O RIO

Inicie o passeio pedalando para o sul e atravessando o rio, talvez pela **Tower Bridge** ① e passando pela **Torre de Londres** ②, mas diminua a velocidade no caminho de volta para apreciar as inúmeras delícias alimentares que há em Bermondsey e Borough, dois bairros vizinhos junto ao rio, no distrito de Southwark. Você vai se encontrar numa área delimitada pela Tower Bridge Road a leste, a Blackfriars Road a oeste e a Long Lane ao sul – é possível que os festeiros que se encontram em sua companhia queiram seguir mais para o sul até a **Ministry of Sound** ③, o primeiro superclube de Londres. Pedalar de volta para casa não é recomendável!

Antes, vamos um pouco a leste da Tower Bridge, até os lindos armazéns no cais do século XIX de Butler's Wharf e Shad Thames, onde está o **Design Museum** ④ defronte ao rio – aliás, só até novembro de 2015, quando ele se mudará para Kensington. Seria errado chamar o

trecho ao sul de "resistente", mas há prédios com tapumes, depósitos cheios de mobília e acessórios interessantes e, aninhado entre os arcos da ferrovia, o **Maltby Street Market** ⑤ aos sábados, que discretamente se tornou um ponto gastronômico badalado, ameaçando superar seu mais famoso rival, o Borough Market. A **Monmouth Coffee Company** ⑥, um dos melhores fornecedores de café da capital, tem uma loja aí, aberta ao público nos dias de mercado, quando fica rodeada de bancas que vendem queijos, peixes, petiscos e carnes curadas. Saindo desse local é só um pulinho até a **Bermondsey Square** ⑦, que também é ocupada por bancas de feirantes aos sábados. Às sextas, ela recebe uma das melhores feiras de antiguidades de Londres.

A Bermondsey Street, por outro lado, é bem mais requintada e guarda imensa distância dos curtumes que nela existiam. Hoje há butiques e restaurantes da moda, bem como cafés e dois bons bares-restaurantes, **The Woolpack** ⑧ e **The Garrison** ⑨, um de frente para o outro. Ali também se encontra a única **oficina de vidro soprado** ⑩ de Londres. O **Fashion & Textile Museum** ⑪ reflete a história da região, que abriga um recém-chegado: a nova **White Cube** ⑫, maior filial da rede de galerias. Entre outros museus interessantes estão o **Old Operating Theatre** ⑬, onde se pode ver as condições e técnicas de cirurgia na era vitoriana, e o **Kirkaldy Testing Museum** ⑭, que expõe parte da gigantesca tecnologia da engenharia vitoriana. E no rio, é claro, se encontra a eminente **Tate Modern** ⑮, misto de museu e loja instalado em uma antiga usina elétrica, que abriga um acervo impressionante de arte moderna, com todos os maiores mestres do século XX em diante.

A via junto ao rio merece uma lenta pedalada, ainda que a aglomeração e os trechos estreitos nem permitam ir rápido – talvez seja preciso caminhar. Indo da Tate para o leste, você passa pelo **Shakespeare's Globe** ⑯, pelo **Clink Prison Museum** ⑰ – famosa cadeia que no século XVII gerou a expressão *"in the clink"* ("em cana") – e por uma réplica do navio *Golden Hinde*, de Sir Frances Drake. Após a Torre de Londres fica a **Prefeitura** ⑱, mas também vale a pena ver a Southwark Bridge, que talvez seja a mais bonita das pontes sobre o Tâmisa, com um raro exemplo de ciclovia exclusiva – pegue-a para o norte para chegar à St Paul's Cathedral (fora do mapa).

Não deixe o bairro sem antes acorrentar a bicicleta a um poste e xeretar pelo **Borough Market** ⑲ (mercado completo de quinta a sábado; só almoço de segunda a quarta), para comprar produtos agrícolas, peixes e caça, ótimos chocolates, queijos e praticamente tudo que você seria capaz de comer – sem dúvida, é o melhor lugar gastronômico de Londres. Quanto a restaurantes, o **Elliot's Café** ⑳ serve a nova cozinha britânica e usa só ingredientes do mercado. Se quiser algo à moda antiga, experimente o **Maria's Market Café** ㉑, ponto tradicional em que as garçonetes servem *bubble and squeak* (legumes e purê de batata fritos) desde os anos 1960. Ou, para tomar uma bebida longe do alarido, **The George Inn** ㉒ é a última remanescente das hospedarias de Londres com estrebaria (a Borough High Street tinha uma série delas) – Shakespeare, Pepys e Dickens eram fregueses regulares.

E há mais um lugar digno de nota: **The Shard** ㉓, edifício projetado por Renzo Piano e que hoje tem usos variados, é o mais alto da Europa e se destaca no recém-denominado London Bridge Quarter. Se você tiver um tempinho e um dinheirão, pegue um dos elevadores até as galerias públicas nos andares 68-72 para ver Londres de um jeito incomparável.

PARA DESCANSAR

COMIDA

Del'Aziz ㉔ é uma ótima mercearia do Oriente Médio, e o café da **Tate Modern** ⑮ é cheio mas agradável.

BEBIDA

Total Organics Juice Bar ㉕ faz sucos revigorantes quando o Borough Market está aberto.

WI-FI

Bermondsey Street Coffee ㉖ deixa o cliente conectado.

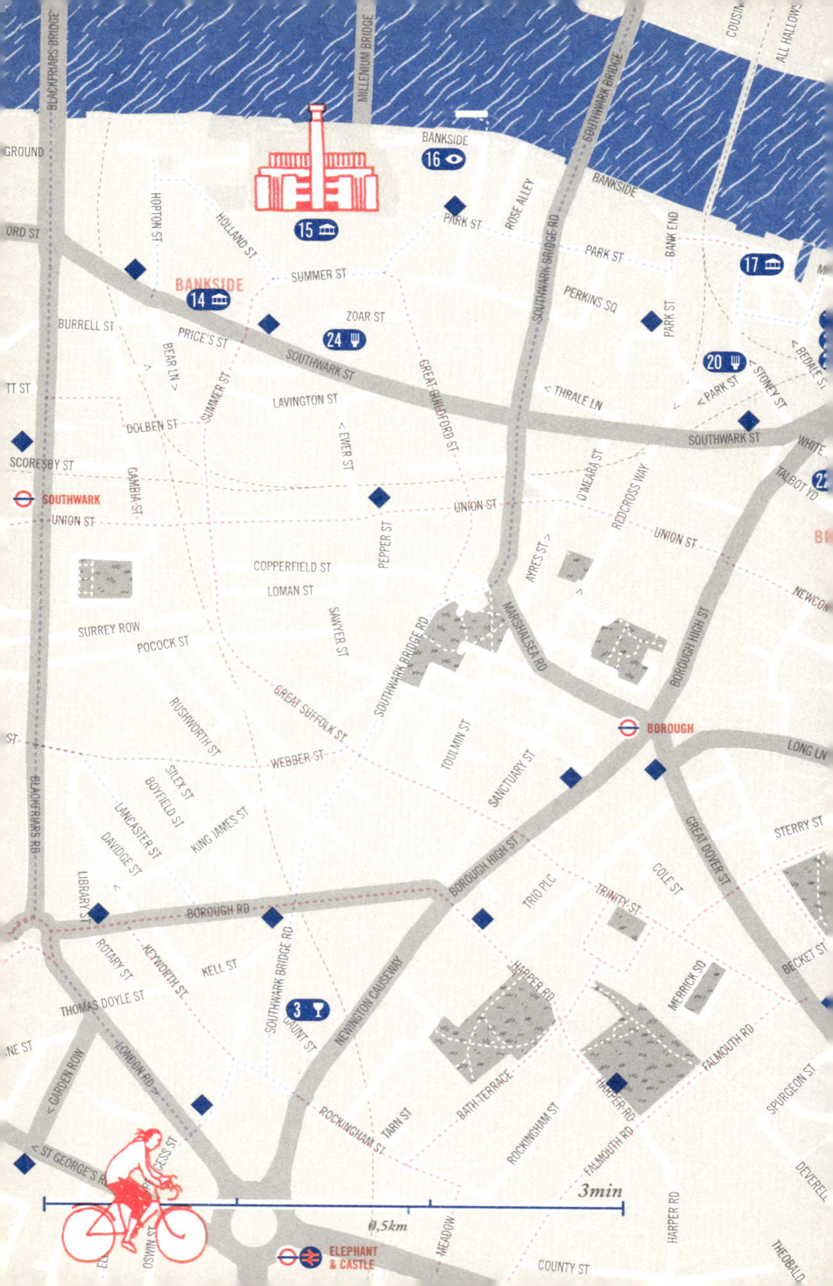
BLACKFRIARS BRIDGE
MILLENIUM BRIDGE
SOUTHWARK BRIDGE
BANKSIDE
16
15
14
17
20
24
3
BANKSIDE
HOPTON ST
HOLLAND ST
PARK ST
ROSE ALLEY
SOUTHWARK BRIDGE RD
BANK END
SUMMER ST
PERKINS SQ
PARK ST
ZOAR ST
BURRELL ST
PRICE'S ST
BEAR LN
SOUTHWARK ST
GREAT GUILDFORD ST
THRALE LN
STONEY ST
BEDALE ST
LAVINGTON ST
DOLBEN ST
EWER ST
SCORESBY ST
SOUTHWARK
GAMBIA ST
UNION ST
PEPPER ST
O'MEARA ST
REDCROSS WAY
TALBOT YD
COPPERFIELD ST
LOMAN ST
AYRES ST
SURREY ROW
POCOCK ST
SAWYER ST
MARSHALSEA RD
BOROUGH HIGH ST
RUSHWORTH ST
GREAT SUFFOLK ST
BOROUGH
LONG LN
WEBBER ST
TOULMIN ST
SANCTUARY ST
SILEX ST
BOYFIELD ST
KING JAMES ST
LANCASTER ST
DAVIDGE ST
BLACKFRIARS RD
GREAT DOVER ST
STERRY ST
COLE ST
TRINITY ST
TRIO PLC
LIBRARY ST
BOROUGH RD
ROTARY ST
KEYWORTH ST
KELL ST
HARPER RD
MERRICK SQ
BECKET ST
THOMAS DOYLE ST
GAUNT ST
NEWINGTON CAUSEWAY
FALMOUTH RD
GARDEN ROW
LONDON RD
BATH TERRACE
SPURGEON ST
ROCKINGHAM ST
TARN ST
ST GEORGE'S RD
3min
0,5km
MEADOW
OSWIN ST
ELEPHANT & CASTLE
COUNTY ST
HARPER RD
THEOBALD
DEVERELL

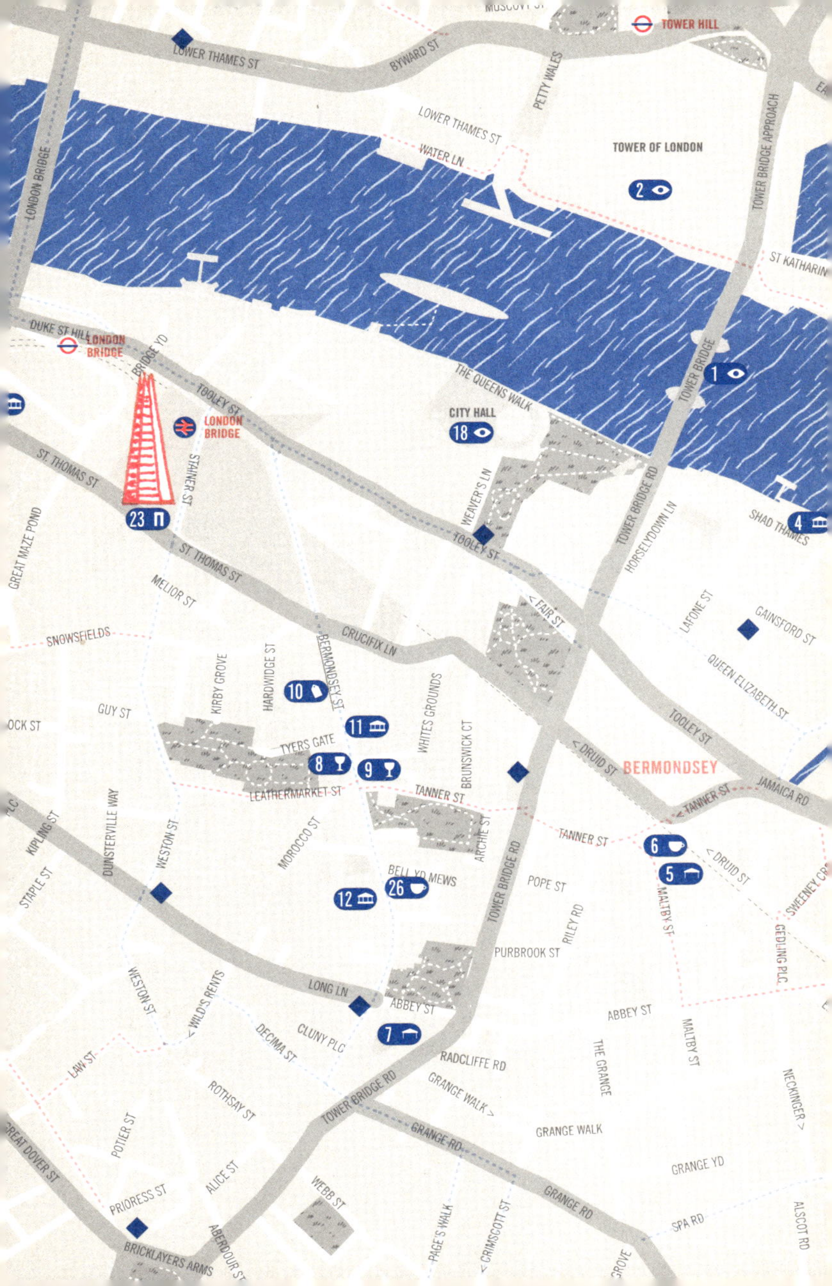
TOWER HILL
LOWER THAMES ST
BYWARD ST
PETTY WALES
LOWER THAMES ST
WATER LN
TOWER OF LONDON
2
TOWER BRIDGE APPROACH
LONDON BRIDGE
ST KATHARIN
DUKE ST HILL
LONDON BRIDGE
BRIDGE YD
TOOLEY ST
LONDON BRIDGE
THE QUEENS WALK
TOWER BRIDGE
1
CITY HALL
18
ST. THOMAS ST
STAINER ST
23
WEAVER'S LN
TOOLEY ST
TOWER BRIDGE RD
HORSELYDOWN LN
SHAD THAMES
4
GREAT MAZE POND
ST. THOMAS ST
MELIOR ST
FAIR ST
LAFONE ST
GAINSFORD ST
SNOWSFIELDS
CRUCIFIX LN
BERMONDSEY ST
HARDWIDGE ST
KIRBY GROVE
10
QUEEN ELIZABETH ST
GUY ST
WHITE'S GROUNDS
11
TOOLEY ST
BRUNSWICK CT
TYERS GATE
8
9
DRUID ST
BERMONDSEY
LEATHERMARKET ST
TANNER ST
JAMAICA RD
TANNER ST
KIPLING ST
ARCHIE ST
TANNER ST
6
DUNSTERVILLE WAY
WESTON ST
MOROCCO ST
DRUID ST
5
STAPLE ST
BELL YD MEWS
26
POPE ST
12
TOWER BRIDGE RD
MALTBY ST
SWEENEY CR
RILEY RD
GEDLING PLC
PURBROOK ST
WESTON ST
WILD'S RENTS
LONG LN
ABBEY ST
ABBEY ST
CLUNY PLC
7
DECIMA ST
MALTBY ST
THE GRANGE
RADCLIFFE RD
LAW ST
GRANGE WALK
NECKINGER
ROTHSAY ST
TOWER BRIDGE RD
GRANGE WALK
POTIER ST
GRANGE RD
GREAT DOVER ST
GRANGE YD
ALICE ST
WEBB ST
PRIORESS ST
GRANGE RD
SPA RD
ALSCOT RD
PAGE'S WALK
CRIMSCOTT ST
BRICKLAYERS ARMS
ABERDOUR ST
GROVE

NOTTING HILL

PARAÍSO ANTIGO, PORTOBELLO ROAD MARKET E BOA COMIDA

Para alguns, Notting Hill logo lembra o primeiro-ministro David Cameron e seus amigos, chefs famosos e o ator Hugh Grant; para outros, o bairro é sinônimo do Notting Hill Carnival (maior festa de rua depois do carnaval do Rio de Janeiro, só que em agosto), da Portobello Road com seu mercado (metade bugigangas, metade velhas preciosidades) e das ecléticas tabernas, lojas de discos e butiques antigas. É a mistura de culturas, boa vida e gente na rua que torna a região tão interessante.

As ruas de Maida Vale, ao norte da Warwick Avenue (fora do mapa), são agradáveis para pedalar, mas aqui enfocaremos a área delimitada pelo Grand Union Canal ao norte, por Bayswater Road ao sul, Ladbroke Grove a oeste e Queensway a leste. Em sua maioria, essas ruas são largas, arborizadas e tranquilas, com grandes casas brancas geminadas – divididas em apartamentos ou com um só ocupante, com portão para os jardins privativos na praça. Só poucos, entre eles a **Pembridge Square** ①, a **Colville Square** ② e os **Kildare Gardens** ③, estão abertos ao público. A Bayswater Road, apesar de movimentada, é larga e boa para pedalar.

Um dos melhores jeitos de se chegar a Notting Hill é atravessar o Hyde Park e subir as ruas atrás dele, ou seguir pelo canal estreito, cheio de barcos, passar por Little Venice e dar, talvez, uma pausa no **Waterside Café** ④ ou na **Puppet Theatre Barge** ⑤, ou para ver os skatistas nos **Meanwhile Gardens** ⑥. Então, atravesse a ponte em arco para a Golborne Road, onde seu apetite vai se abrir com o cheiro do forno da **Lisboa Patisserie** ⑦ (de onde saem tortas portuguesas autênticas) e você terá de se desviar de gente carregando antiguidades e móveis. Mais adiante, na **Pizza East** ⑧ (prenda a bicicleta do lado de fora e arrume um lugar para sentar na rua), você vai sentir o aroma atraente de tajine marroquino, curry de Trinidad ou peixe frito, conforme o que as bancas de lona do **Golborne Road Market** ⑨ estiverem servindo. Não saia dessa ponta norte da Portobello sem admirar a **Trellick Tower** ⑩, o impressionante arranha-céu de Ernö Goldfinger, ou parar para um café no **Lowry & Baker** ⑪. Também fica nesse pedaço a **Slack Cycling** ⑫, butique de ciclismo superexclusiva, onde vão medir você de cima a baixo para lhe fazer uma roupa ou lhe vender uma camiseta – sempre com hora marcada, exceto às sextas. Mais ao sul está a simpática **Bicycle Workshop** ⑬.

Como o **Portobello Road Market** ⑭ em si pode ser um pandemônio – especialmente aos fins de semana –, o melhor é descer da bicicleta e caminhar. De todo modo, você não vai querer ir rápido: há muito para ver, e os sujeitos que vendem antiguidades, móveis, roupas e quinquilharias são tão fascinantes quanto as mercadorias que vendem. Se isso não lhe interessar, você pode relaxar no **The Tabernacle** ⑮, uma galeria de arte, café e centro comunitário que possui terraço ensolarado e lugar para bicicletas. E, caso isso não seja suficiente, há lojas de utensílios de cozinha, decoração e moda na Westbourne Park Road e nas redondezas, e, na Blenheim Crescent, a **The Travel Bookshop** ⑯, que ganhou fama no filme *Um lugar chamado Notting Hill*. Para os gastrônomos, há a **Books for Cooks** ⑰ e a **The Spice Shop** ⑱, com ingredientes tão requintados que vão servir de inspiração. Notting Hill também é conhecido por suas lojas de discos: entre as recomendadas estão a eclética e respeitada **Honest Jon's Records** ⑲ e a **Rough Trade** ⑳.

Siga a oeste da Ladbroke Grove para explorar as ruas sinuosas – as mais tranquilas, a leste da Portobello, têm restaurantes finos, entre eles o **Ledbury** ㉑, premiado com estrelas Michelin, e o inusitado **Museum of Brands, Packaging and Advertising** ㉒. Em meio a outras boas opções para comer estão a **Osteria Basilico** ㉓, o **Fez Mangal** ㉔ e o **Durbar Tandoori** ㉕ – os dois últimos fazem, respectivamente, comida turca e indiana de qualidade. No caminho de volta para a cidade, passe por Westbourne Grove, um ponto chique para passear e fazer compras, ou atravesse a Bayswater Road e pedale até os Kensington Palace Gardens. Praticamente não há tráfego e as casas e embaixadas são esplêndidas – uma foi vendida em 2004 ao barão do aço Lakshmi Mittal por £57 milhões. Cuidado com os embaixadores e oligarcas!

PARA DESCANSAR

COMIDA

As duas casas italianas do **Arancina** ㉖ ㉗ de Notting Hill fornecem uma boa dose de carboidratos.

BEBIDA

Raoul's Café ㉘ mata a sede e também faz ótimos ovos Benedict.

WI-FI

Coffee Plant ㉙, na Portobello Road, tem bom café com leite, chás e internet grátis.

LADBROKE GRV
GOLBORNE RD
HORMEAD RD
GREAT WESTERN RD
ELKSTONE RD
TELFORD RD
ST ERVANS RD
WORNINGTON RD
ACKLAM RD
FARADAY RD
BONCHURCH RD
ST CHARLES SQ
NORBURN ST
MILLWOOD ST
ST CHARLES PL
CHESTERTON RD
ST. LAWRENCE ST
PORTOBELLO RD
OXFORD GDNS
TAVISTOCK CRES
TAVISTOCK RD
LEAMINGTON RD VL
ST LUKE'S RD
ALL SAINTS RD
CAMBRIDGE GDNS
CAMBRIDGE GARDENS
ST. MARK'S RD
WESTWAY
LADBROKE GROVE
ROYAL
LANCASTER RD
ST. LUKES MEWS
WESTBOURNE PARK RD
RUSTON MEWS
COLVILLE HS
C'SDALE RD
POWIS GDNS
POWIS TRC
TALBOT RD
POWIS SQ
COLVILLE GDNS
BLENHEIM CRESCENT
COLVILLE TR
COLVILLE RD
LONSDALE RD
WESLEY SQ
ST MARKS PL
SILCHESTER RD
DULFORD ST
CORNWALL CRES
BLENHEIM CRES
ELGIN CRES
KENSINGTON PARK RD
ARUNDEL CRES
WESTBOURNE GRV
DENBIGH RD
DENBIGH TR
GRENFELL RD
BOMORE RD
LADBROKE GDNS
TREADGOLD ST
AVONDALE PARK RD
WALMER RD
PORTLAND RD
CLARENDON RD
ROSMEAD RD
LANSDOWNE CRES
STANLEY GDNS
MARY PL
GORHAM PL
SIRDAR RD
AVONDALE PARK
H'DROME MEWS
CLARENDON CROSS
LANSDOWNE RISE
LANSDOWNE RD
KENSINGTON PARK GDNS
LADBROKE SQUARE GARDEN
ST JOHN'S GDNS
LADBROKE TR
3min
0,5km
LANSDOWNE WLK
POTTERY LANE
LADBROKE RD
LADBROKE WLK

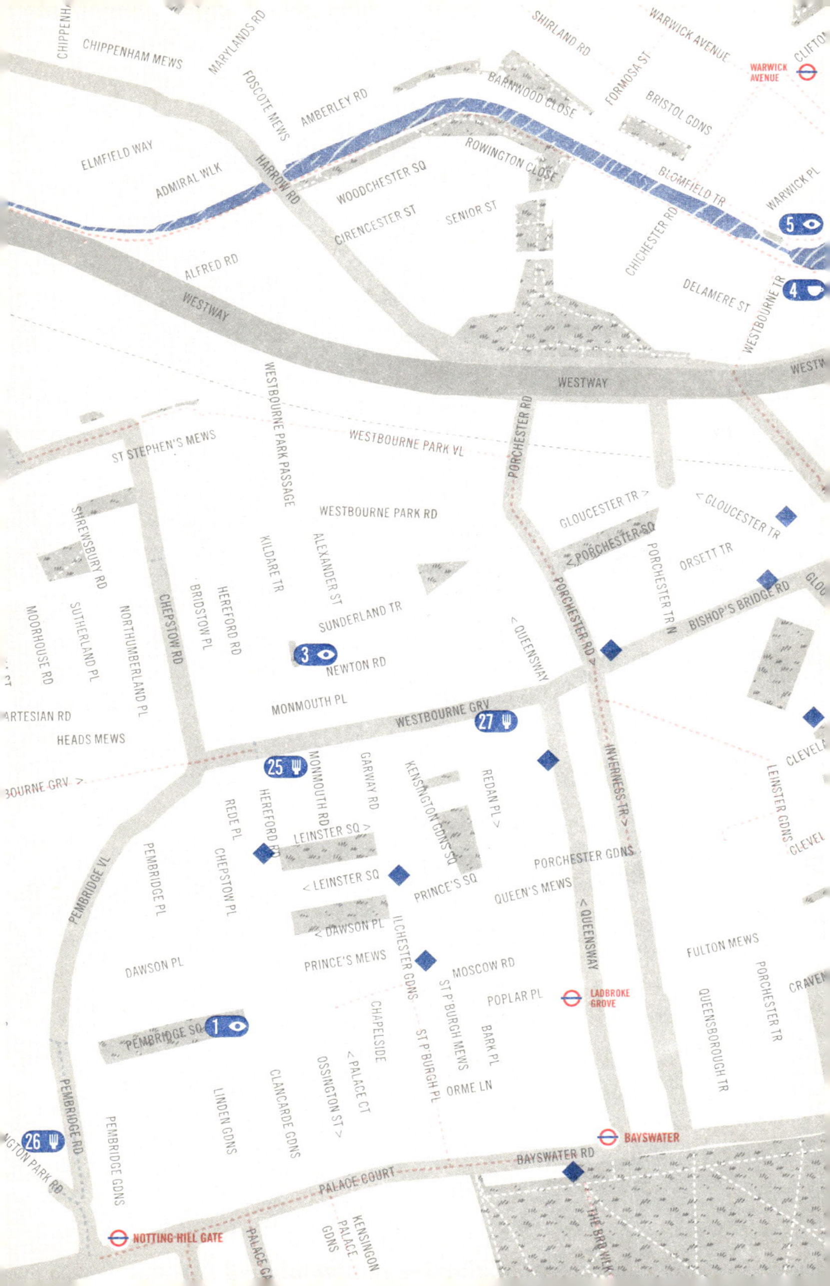
CHIPPENHAM MEWS
MARYLANDS RD
SHIRLAND RD
WARWICK AVENUE
WARWICK AVENUE
FOSCOTE MEWS
AMBERLEY RD
BARNWOOD CLOSE
FORMOSA ST
BRISTOL GDNS
ELMFIELD WAY
ADMIRAL WLK
HARROW RD
WOODCHESTER SQ
ROWINGTON CLOSE
BLOMFIELD TR
WARWICK PL
CIRENCESTER ST
SENIOR ST
CHICHESTER RD
5
ALFRED RD
WESTWAY
DELAMERE ST
4
WESTBOURNE TR
WESTWAY
WESTBOURNE PARK PASSAGE
PORCHESTER RD
WESTBOURNE PARK VL
ST STEPHEN'S MEWS
WESTBOURNE PARK RD
GLOUCESTER TR
GLOUCESTER TR
PORCHESTER SQ
ORSETT TR
SHREWSBURY RD
KILDARE TR
ALEXANDER ST
PORCHESTER TR
BISHOP'S BRIDGE RD
PORCHESTER RD
SUNDERLAND TR
QUEENSWAY
MOORHOUSE RD
SUTHERLAND PL
NORTHUMBERLAND PL
CHEPSTOW RD
BRIDSTOW PL
HEREFORD RD
3
NEWTON RD
MONMOUTH PL
ARTESIAN RD
WESTBOURNE GRV
27
HEADS MEWS
25
INVERNESS TR
CLEVELAND
BOURNE GRV
MONMOUTH RD
GARWAY RD
KENSINGTON GDNS SQ
REDAN PL
LEINSTER GDNS
REDE PL
HEREFORD RD
LEINSTER SQ
PORCHESTER GDNS
CLEVEL
PEMBRIDGE VL
PEMBRIDGE PL
CHEPSTOW PL
LEINSTER SQ
PRINCE'S SQ
QUEEN'S MEWS
DAWSON PL
QUEENSWAY
FULTON MEWS
DAWSON PL
PRINCE'S MEWS
ILCHESTER GDNS
MOSCOW RD
PORCHESTER TR
POPLAR PL
LADBROKE GROVE
QUEENSBOROUGH TR
CRAVEN
PEMBRIDGE SQ
1
CHAPELSIDE
ST PETERSBURGH MEWS
BARK PL
PALACE CT
OSSINGTON ST
CLANRICARDE GDNS
LINDEN GDNS
ST PETERSBURGH PL
ORME LN
PEMBRIDGE RD
26
PEMBRIDGE GDNS
BAYSWATER
BAYSWATER RD
PALACE COURT
NOTTING HILL GATE
PALACE GDNS
KENSINGTON PALACE GDNS
THE BROAD WALK

HAMPSTEAD

ÁREAS VERDES, BELA ARQUITETURA E MORADORES FAMOSOS

Em Hampstead, bairro nobre e arborizado, com fortes laços literários, artísticos e musicais, você encontra algo diferente dos seus outros passeios londrinos: ladeiras. A rota mais direta é subir o Haverstock Hill, bem distante de Camden, mas, se você estiver com preguiça de pedalar, pegue o trem até a **estação de Hampstead Heath** ①. É um bom lugar para iniciar a visita a esse famoso urzal, uma vasta área quase toda agreste, não muito longe do centro da cidade. Os trens da London Overground costumam aceitar bicicletas fora dos horários de pico, mas é melhor confirmar antes (veja os detalhes da National Rail em "Sites e endereços").

Se tiver disposição para pedalar, faça uma pausa na metade da subida e vire à direita da rua principal, pouco antes da estação Belsize Park do metrô, para ver o **Isokon Building** ②, na Lawn Road, obra-prima modernista desenhada por Wells Coates. Entre seus ex-moradores podemos citar os luminares da Bauhaus Walter Gropius e László Moholy-Nagy, além dos artistas Henry Moore, Barbara Hepworth e Ben Nicholson, além de Agatha Christie. É muito interessante imaginar as conversas que devem ter ocorrido noite adentro no refúgio de bebidas da casa, o Isobar. Daí em diante, é mais agradável subir peda-

lando até o próprio Hampstead pelas ruas secundárias. A rota mais tranquila é subir a Parliament Hill, passando pela **casa de George Orwell** ③, na qual se encontra a primeira de muitas placas em homenagem a moradores famosos – ao longo dos anos, William Hogarth, William Blake, Alfred Tennyson, Anna Pavlova e Kingsley Amis fizeram de Hampstead seu lar.

Desça da bicicleta para subir o trecho final da **Kite Hill** ④, onde, nos dias de vento, pode-se ver pipas sendo empinadas e Londres logo atrás – do estádio de futebol do Arsenal até a escultura "helter-skelter" (tobogã) de Anish Kapoor (mais corretamente denominada *Orbit*), no Olympic Park, e a St Paul's Cathedral (hoje anã perto do **The Shard**; *p. 25*), o Canary Wharf e a London Eye. Muitos dos caminhos no brejo são só para pedestres, mas é legal explorar o local de bicicleta e procurar as rotas de ciclismo por causa dos desfiles de cachorros que saem para passear. Se sentir calor, mergulhe nos lagos, seja nos **mistos** ⑤, seja nos **masculinos** ⑥ ou nos **femininos** ⑦, também chamados Highgate Ponds, abertos diariamente, o ano inteiro, para aventureiros e imprudentes.

Saindo do Heath pelos lagos, você estará na parte de baixo da vila de Hampstead e em meio a uma arquitetura impressionante. A Keats Grove é um bom exemplo; o poeta John Keats morou na rua de 1812 a 1820. Sua casa, onde ele se apaixonou por Fanny Brawne e escreveu alguns de seus mais famosos poemas, como "Ode a um rouxinol", é atualmente o **Keats Museum** ⑧. A moradia de Sigmund Freud também passou por reforma e virou o **Freud Museum** ⑨, que realiza exposições fascinantes, aliando arte e literatura à psicanálise. Downshire Hill é grandiosa, e a **Two Willow Road** ⑩ é uma obra-prima modernista, construída por Ernö Goldfinger para ser a casa de sua família. Hoje ela pertence ao Patrimônio Nacional, mas nem todos gostaram dela quando foi feita. Ian Fleming, um dos vizinhos, até organizou uma campanha contra a construção – dizem que desse caso surgiu o sobrenome de seu supervilão Auric Goldfinger!

Enquanto estiver pedalando, vá devagar, olhando as pitorescas travessas da Hampstead Village, talvez parando para tomar algo no restaurante **The Wells** ⑪, ou mais adiante, no **The Flask** ⑫. Há vários cafés um perto do outro junto à High Street; se quiser comer, tente o **Simply Scrumptious** ⑬; se preferir somente bolos, vá ao **Mani's** ⑭. Depois suba pela Frognal Rise, para admirar as lindas casas e as várias placas – a de **John Constable** ⑮ na Lower Terrace (você também pode visitar o túmulo do artista no **St John-at-Hampstead** ⑯), ou a do arquiteto Sir George Gilbert Scott na Admiral House – bem lá para cima, na direção do Whitestone Pond. Está sem fôlego? Relaxe: esse é o ponto mais alto de Londres e local do **Hampstead Observatory** ⑰, no topo do morro. A

partir daí, passe ou entre na **The Spaniards Inn** ⑱ – suposto reduto de Dick Turpin – e não deixe de se dirigir à **Kenwood House** ⑲. Essa construção, projetada por Robert Adam, foi doada ao país em 1927; ela contém uma coleção com obras de arte de Vermeer, Rembrandt, Constable, Turner e Gainsborough, e os gramados muito bem aparados são palco de concertos ao ar livre no verão.

Highgate, mais adiante, talvez seja mais conhecida pelo **cemitério** ⑳ na Swain's Lane, uma subida de bicicleta que exige pulmões de aço. Gente tão díspar quanto Karl Marx, Douglas Adams e Christina Rosetti estão sepultados aí (parte do cemitério só está aberta a visitas oficiais). Mas Highgate também é uma vila pitoresca, cheia de pubs hospitaleiros: **The Wrestlers** ㉑ tem uma lareira aconchegante no inverno e uma atmosfera animada; e o próprio **Flask Pub** ㉒ recebe ciclistas particularmente bem.

PARA DESCANSAR

COMIDA

The Red Lion & Sun ㉓ é um bar-restaurante em Highgate com comida muito boa.

BEBIDA

Oliver's Village Café ㉔, na vila de Belsize, é um bom ponto para chá com bolo.

WI-FI

Ginger & White ㉕ serve um ótimo café e tem Wi-Fi grátis.

CHANDOS WAY
NORTH END RD
HAMPSTEAD WAY
WILDWOOD RD
SPANIARDS END
HAMPSTEAD LN
18
THE PARK
PK CLOSE
WILDWOOD GROVE
NORTH END
SPANIARDS RD
NORTH END WAY
ELM WALK
WEST HEATH RD
HEATH VILLAS
EAST HEATH RD
17
HEATH STREET
HAMPSTEAD GROVE
HOLFORD RD
CHRISTCHURCH HILL
LIME AVENUE
TEMPLEWOOD GDNS
CROFT AVENUE
FERNCROFT AVENUE
REDINGTON RD
OAK HILL WAY
15
FROGNAL RS
NEW END
GROVE PL
WELL WALK
11
HEATH SIDE
HEATH ROAD SOUTH
HEATH DR
WILLOW RD
HOLLY HILL
BACK LN
FLASK WK
WILLOUGHBY RD
DENN. RD
PILGRIM'S LN
10
FROGNAL GDNS
HOLLY WALK
HAMPSTEAD
12
13
GAYTON RD
CARLINGF. RD
OAKHILL AVE
14
KEMPLAY RD
DOWNSHIRE HILL
KEATS GROVE
8
HEATH DR
CHESTERFORD GDNS
GREENAWAY GDNS
CHURCH ROW
25
HEATH HURST ST
16
FROGNAL WAY
BRACKNELL GDNS
PRINCE ARTHUR RD
SHEPHERD'S WALK
ROSSLYN HILL
FROGNAL
LANGLAND GDNS
FROGNAL LN
ELLERDALE RD
THURLOW RD
ELDON GRV
POND
CANNON HILL
LYNDHURST RD
LINDFIELD GDNS
FINCHLEY RD
ARKWRIGHT RD
LYNDHURST GDNS
BELSIZE LN
CREDITON HILL
ALVANLEY GARDENS
FROGNAL
FITZJOHN'S AVENUE
MARESFIELD GDNS
AKENSIDE RD
WEDDERBURN RD
ORMAN RD
FAWLEY RD
FINCHLEY ROAD & FROGNAL
NETHERHALL GDNS
BELSIZE LN
LYMINGTON RD
TUDOR CLS
NUTLEY TERRACE
BELSIZE AVENUE
WEST END LN
9
DALEHAM GDNS
DALEHAM MEWS
BELSIZE LN
24
GLENILLA RD

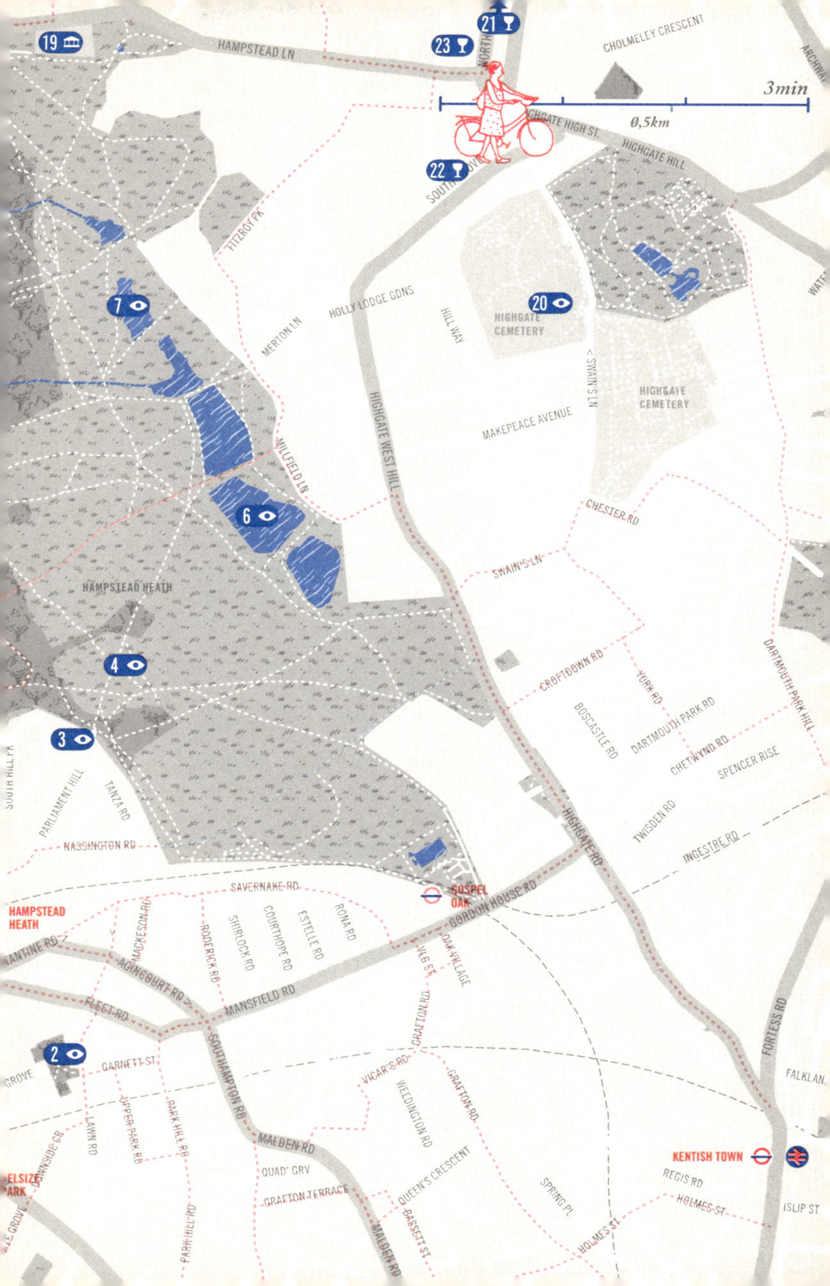

19
HAMPSTEAD LN
21
23
NORTH
CHOLMELEY CRESCENT
3min
0,5km
HIGHGATE HIGH ST.
HIGHGATE HILL
22
FITZROY PK
7
HOLLY LODGE GDNS
HILL WAY
20
HIGHGATE CEMETERY
MERTON LN
SWAIN'S LN
HIGHGATE CEMETERY
MAKEPEACE AVENUE
HIGHGATE WEST HILL
MILLFIELD LN
6
CHESTER RD
SWAIN'S LN
HAMPSTEAD HEATH
4
CROFTDOWN RD
YORK RD
BOSCASTLE RD
DARTMOUTH PARK RD
DARTMOUTH PARK HILL
3
CHETWYND RD
SPENCER RISE
PARLIAMENT HILL
TANZA RD
TWISDEN RD
HIGHGATE RD
NASSINGTON RD
INGESTRE RD
SAVERNAKE RD
GOSPEL OAK
HAMPSTEAD HEATH
MACKESON RD
RONA RD
GORDON HOUSE RD
SHIRLOCK RD
COURTHOPE RD
ESTELLE RD
RODERICK RD
AGINCOURT RD
OAK VILLAGE
FLEET RD
MANSFIELD RD
GRAFTON RD
SOUTHAMPTON RD
FORTESS RD
2
GARNETT ST
VICAR'S RD
GROVE
FALKLAN.
WEEDINGTON RD
GRAFTON RD
UPPER PARK RD
PARK HILL RD
LAWN RD
DOWNSIDE GR
MALDEN RD
KENTISH TOWN
QUEEN'S CRESCENT
QUAD' GRV
REGIS RD
SPRING PL
GRAFTON TERRACE
HOLMES ST
ISLIP ST
BASSETT ST
HOLMES ST
PARK HILL RD
MALDEN RD

CORRIDA E TREINO

Quando Londres sediou o Tour de France em 2007 – apenas a terceira vez em que a corrida foi realizada no Reino Unido –, ninguém sabia direito o que esperar: será que os britânicos se sairiam bem? Nem foi preciso se preocupar. A primeira etapa e a subsequente, em Canterbury, foram vistas por milhões de fãs de bicicletas, confirmando que o ciclismo profissional era um sucesso completo.

Os Jogos Olímpicos de Londres de 2012 testemunharam novamente o predomínio dos ciclistas britânicos nas disputas, dessa vez nas pistas do **London Velopark**, um dos locais das Olimpíadas na zona leste de Londres. Bradley Wiggins ganhou a **prova de tempo individual masculina** em Surrey (veja o mapa do percurso em "Sites e endereços") – além de uma corrida menos expressiva na França –, e o resultante aumento no número de adeptos do esporte implicou uma explosão de clubes ciclísticos na cidade, de bicicletarias caras e das populares ciclovias repletas de ciclistas nos dias de semana à noite e nos fins de semana. Na verdade, os Jogos Olímpicos já haviam sido realizados em Londres duas vezes: em 1908, o polo de bicicleta participou como esporte de exibição; e dos jogos da "austeridade" de 1948 restou apenas o **Herne Hill Velodrome** (fora do mapa), escondido num canto da zona sudoeste de Londres. Recém-recapeada, essa pista de concreto ao ar livre realiza eventos nacionais e até recentemente recebia o encontro da Sexta-Feira Santa, que atraía talentos da Europa. As instalações, ainda bastante usadas pelos clubes londrinos, são mantidas pelo **Velo Club Londres**, que promove treinamentos abertos e uma liga de corrida.

Quando se trata de pedalar nas ruas, Londres é tão grande que os ciclistas tendem a permanecer em sua região – indo mais a norte se moram na zona norte de Londres; a leste, se moram em Hackney e arredores, e assim por diante. Os morros de Surrey e Kent, respectivamente a sudoeste e sudeste, são provavelmente o território mais tradicional de treino para os ciclistas londrinos; muitos dos clubes ciclísticos da cidade têm sede nos subúrbios do sul. Box Hill, perto de Dorking, Surrey, famoso pela via em zigue-zague, é o que mais se assemelha nas redondezas a uma subida alpina, embora só tenha 2,5km e um gradiente médio de 5%. Quanto aos morros de Kent, muitos ciclistas e clubes se reúnem no **Café St Germain**, no Crystal Palace (fora do mapa), para tomar um expresso rápido antes de pedalar. Por outro lado, se você

10

quiser participar de um passeio organizado e amistoso, há um que sai do **Rapha Cycle Club** *(p. 12)* cerca de duas vezes por semana. Nas manhãs de sábado, o passeio alterna percursos entre Essex, a leste, ou Surrey, ao sul; nas noites de quinta-feira, o passeio é para a vizinhança do Regent's Park para dar algumas voltas – confira no site (veja "Sites e endereços") os detalhes e as informações atualizadas.

Se o que você quer é dar uma pedalada simples e rápida, o Regent's Park, no centro de Londres, ou o Richmond Park, no sudoeste (fora do mapa), são os lugares mais frequentados pelos ciclistas da cidade. O Regent's Park tem um circuito plano de 4km com tráfego leve. Todas as noites, nos dias úteis, quando o tempo permite, há ciclistas aí; no verão, especialmente às terças e quintas, o parque fica abarrotado de bicicletas velozes. Desde que você não se importe de sair uma vez na frente, as pessoas são em geral bem amigáveis e não se incomodam com quem também queira treinar. Meio fora do centro, o Richmond Park tende a ser mais um destino de fim de semana para a maioria. A pista perimetral tem 11km e algumas subidas leves. É um lugar pitoresco, e, como há muitos veados, as pessoas se esquecem facilmente de que estão próximas do centro de uma metrópole. Também aí os ciclistas são em geral simpáticos.

Para treinos dirigidos, os londrinos costumam ir até subúrbios ao norte, como Highgate e Hampstead *(pp. 34-9)*, que oferecem uma série de subidas curtas e íngremes para pôr as pernas à prova. A mais conhecida é a Swain's Lane, em Highgate, que atravessa o famoso cemitério *(p. 37)*. Trata-se de um trecho temido e rigoroso de 800m, que sobe a cerca de 20% perto do final, onde se realiza em julho a competição Urban Hill Climb, do clube londrino **Rollapaluza**. Veja em "Sites e endereços" indicações de percurso para treinar.

Por fim, se você precisar de bom equipamento – de pneus a camisetas ou até uma bicicleta nova –, pode começar pela **Condor Cycles**, fabricante londrina de quadros que tem loja na Gray's Inn Road desde 1948 e é a melhor da cidade. Como a oficina da Condor costuma estar cheia, se você precisar de um conserto urgente na bicicleta, recorra à **Bespoke Cycling**, na Farringdon Road, ou à **Pretorius** *(p. 19)*, perto da Old Street. Por outro lado, a **Kinoko Cycles**, no coração do Soho, é especializada em bicicletas com marchas da marca Tokyo Fixed.

INFORMAÇÕES ESSENCIAIS

Os ciclistas londrinos são gente persistente, mas pedalar pela capital não precisa ser um martírio. As ruas estão mais receptivas, e você vai seguir com segurança e se divertir mais se traçar com antecedência a rota desejada.

GUIA DE ETIQUETA DO CICLISTA

Como em toda cidade grande, existe todo tipo de ciclista em Londres, desde os lentos, precavidos e respeitosos até os camicases. Eis algumas dicas para os turistas:

- Não pressuponha que os carros viram você. Diferentemente de outras cidades européias, os motoristas londrinos não dão preferência ao ciclista.
- Tudo bem pedalar pela faixa de ônibus, que até pode parecer um santuário, mas fique de olho nas motos e scooters que também circulam por ali.
- Não atravesse com o sinal vermelho, embora outros o façam – é mais provável que eles conheçam bem o cruzamento.
- Não ultrapasse outros ciclistas pela esquerda. Passe pela direita, como você faria ao dirigir um carro.
- Não ande de bicicleta na calçada.

SEGURANÇA

Certas ruas de Londres são estreitas em comparação com as de outras capitais europeias, e para muitos turistas é uma experiência nova dirigir pelo lado esquerdo. Infelizmente, acidentes são comuns na capital, e o prefeito tem sido criticado por arriscar a vida dos ciclistas ao não dar mais prioridade à segurança deles. Por exemplo, grande parte das pessoas considera um desperdício de dinheiro a iniciativa **Barclays Cycle Superhighways**. Embora as ciclovias sejam bem sinalizadas nos principais percursos usados por trabalhadores, seus críticos dizem que elas não passam de faixas azuis na pista, interrompidas frequentemente por pontos de ônibus, carros estacionados e cruzamentos. Mesmo que você esteja numa ciclovia demarcada, mantenha os olhos e os ouvidos atentos. Veja mais estas dicas:

- Não transite pela sarjeta e passe a mais de um metro dos carros estacionados.
- Raramente as faixas de retenção avançadas são respeitadas; se

você se sentir em perigo, tudo bem ficar à frente dos veículos, diante do semáforo.

- Cuidado com os caminhões. Têm ocorrido muitos acidentes com feridos nos últimos anos, causados por ciclistas que se põem em pontos cegos, em geral quando o caminhão vai virar à esquerda. Nunca ultrapasse um caminhão por dentro e lembre-se de que, se você não consegue ver o retrovisor dele, o motorista também não consegue ver você – mesmo que esteja atento. É melhor esperar atrás do caminhão do que ser atropelado por ele.

RISCOS

Os ladrões de bicicletas em Londres são bastante sofisticados e ávidos. Sempre acorrente sua bicicleta a algo firme. Se for estacioná-la à noite, ou deixá-la num lugar deserto da cidade, verifique duas vezes a solidez do poste ou da grade. Observe como estão as bicicletas em volta para saber o que os moradores consideram seguro fazer, e sempre peque pelo excesso.

LOCALIZE-SE

Se você espera encontrar um sistema racional e fácil de rotas de bicicletas na capital britânica, vai se decepcionar. Não existem tantas ciclovias; poupe-se de um desgosto aceitando que a sinalização azul das rotas ciclísticas vai desapontar. Ela realmente assinala bons percursos, quase sempre pitorescos, porém costuma aparecer e desaparecer, deixando o ciclista em apuros. É provável que você veja uma porção de londrinos pedalando por elas, mas é também possível que eles tenham memorizado seu percurso cotidiano. Siga nosso conselho e confie apenas num mapa.

Entretanto, existe ajuda: os painéis **Legible London**, que vêm surgindo por toda a cidade, trazem mapas e informações úteis para pedestres e ciclistas. Eles existem nas estações Barclays Cycle Hire (veja abaixo) e até nos canais. Uma vez que as ruas de Londres não foram traçadas em grade, não tente pegar atalhos, achando que uma rua vai dar logicamente em um ponto determinado.

ALUGUEL DE BICICLETAS MUNICIPAIS

É fácil usar o sistema **Barclays Cycle Hire**, e, apesar de não ser mais tão barato quanto antes, as robustas bicicletas, ainda que um tanto pesadas e pouco manobráveis, garantem a diversão. O sistema, de início só disponível no centro da cidade, foi ampliado em 2012 para leste, na direção do

Olympic Park, e para oeste, a caminho de Shepherd's Bush, o que significa que abrange quase toda a área mapeada neste guia. Atualmente o sistema tem-se espalhado também pelas zonas sul e sudoeste de Londres.

A cada 300 ou 500 metros ao redor da cidade, você vê bicicletas alinhadas nas estações. Os postos turísticos e algumas estações de metrô têm folhetos que explicam o programa, e existem aplicativos que indicam a estação de bicicletas mais próxima e quantas estão disponíveis. Os moradores de Londres ou visitantes frequentes podem pagar o cadastramento ou acesso anual (atualmente, £90), mas os turistas e usuários eventuais só precisam ir à estação mais próxima (marcada com um ◆ nos mapas da cidade) com o cartão de crédito à mão. Custa £2 por dia ou £10 por semana.

Para alugar uma bicicleta, use o painel *touchscreen* ao lado da estação. O processo é bem demorado, mas as instruções são fáceis de executar. Se você quiser levar a bicicleta na hora, a máquina imprime um código, que deve ser digitado numa vaga com bicicleta, e, quando a luz verde se acender, puxe a bicicleta. A partir desse instante, você ganha 30 minutos de graça. Caso não estacione a bicicleta numa estação nesse intervalo de tempo, você paga £1 por 1h e £4 por 1h30, e o passeio fica cada vez mais caro à medida que o tempo passa. Esse esquema serve para você desocupar a bicicleta quanto antes – assim, se a viagem programada for longa, considere fazer paradas pelo caminho (deve-se esperar cinco minutos para pegar outra bicicleta). Se você chegar ao seu destino e a estação estiver lotada, pressione um botão na tela para ganhar mais 15 minutos e veja no mapa qual a estação mais próxima.

Quando estacionar a bicicleta, empurre-a com firmeza até a luz verde acender. Se a bicicleta estiver quebrada, pressione o botão vermelho "fault" na estação. Diferentemente de Paris, não há correntes nas bicicletas; então, é melhor usá-las em percursos curtos e pegar outra quando precisar.

TRANSPORTE PÚBLICO

O **metrô de Londres** e os ônibus municipais recusam bicicletas não dobráveis, mas pode-se levar uma bicicleta normal na linha de ônibus do Tâmisa da **Transport for London**. A **Thames Clippers**, que opera o barco Tate-to-Tate, entre a Tate Britain e a Tate Modern *(p. 24)*, também aceita bicicletas, ainda que em número limitado.

As companhias que operam muitos trens de superfície em Londres têm normas diferentes sobre bicicletas; veja os detalhes no site da **National Rail**. Contudo, via de regra, leve em conta que será difícil ou impossível levar uma bicicleta não dobrável no trem durante os horários de pico (aproximadamente entre 7h-10h e 16h-19h).

VIAGEM A LONDRES COM BICICLETA

A **Eurostar** é a melhor companhia para ir de uma cidade europeia a Londres com a sua bicicleta. Existem linhas diretas para a capital britânica que partem de Paris, Bruxelas e Lille, e de Avignon e Aix-en-Provence no verão. Há também linhas simples com baldeação que saem de Amsterdã, Colônia, Genebra e Lyon. Entre Londres, Paris e Bruxelas você pode reservar um espaço para a bicicleta no trem – pagando uma taxa. Isso quer dizer que você simplesmente chega à estação e leva a bicicleta a um vagão de carga, onde ela fica pendurada durante a viagem. Faça reserva com antecedência e chegue à estação com tempo de sobra, pois a plataforma de carga fica bem distante do terminal de passageiros. Em 2013, todas as bicicletas em embalagens maiores que 85cm – isto é, todas as não dobráveis – deviam ser enviadas por meio de remessa registrada de bagagem. A opção "Turn Up and Go", pela qual você deixa a bicicleta ensacada num balcão do saguão de embarque, custa £10 para um destino. As bicicletas dobráveis podem ser levadas como bagagem de mão, mas devem estar dentro de uma capa com menos de 85cm de comprimento.

Se você vai chegar a Londres por qualquer um dos aeroportos, é melhor manter a bicicleta em seu invólucro durante a viagem até a cidade. Só no **London City Airport**, na zona leste de Londres, se pode chegar e sair de bicicleta; no **Heathrow** até é possível, mas se transita por algumas vias A (vias principais), com tráfego pesado. Os outros aeroportos são distantes demais.

Todas as linhas de trem britânicas aceitam bicicleta na caixa e também se pode levar bicicletas dentro de caixa no metrô. Se a sua viagem não for breve, não se aconselha levar uma bagagem volumosa no metrô nos horários de pico, pois os trens ficam lotados.

ALUGUEL DE BICICLETAS

Graças ao tamanho da cidade, é possível encontrar uma grande diversidade de bicicletas de aluguel. As lojas, no entanto, são bem raras. Em suma, recomendamos usar as bicicletas do sistema Barclays Cycle Hire, mas, se preferir alugar em outro local – ou se quiser ir a um ponto fora da área do Barclays ou preferir uma bicicleta de corrida –, sugerimos a **Cloud 9 Cycles** para as Dutchies, a **Velorution** para as Bromptons, a **Foffa** para bicicletas sem marcha e a **On Your Bike** para as híbridas e as de corrida (veja detalhes em "Sites e endereços").

SITES E ENDEREÇOS

Albion
2-4 Boundary Street, E2 7DD
albioncaff.co.uk

Arancina
- 19 Pembridge Road, W11 3HG
- 19 Westbourne Grove, W2 4UH

arancina.co.uk

Barbican Centre
Silk Street, EC2Y 8DS
barbican.org.uk

Bar Italia
22 Frith Street, W1D 4RP
baritaliasoho.co.uk

Bermondsey Square
bermondseysquare.co.uk

Bermondsey Street Coffee
163-167 Bermondsey Street, SE1 3UW
streetcoffee.co.uk

Black Market Records
25 D'Arblay Street, W1F 8EJ
bm-soho.com

Bodean's
10 Poland Street, W1F 8PZ
bodeansbbq.com

Books for Cooks
4 Blenheim Crescent, W11 1NN
booksforcooks.com

Borough Market
8 Southwark Street, SE1 1TL
boroughmarket.org.uk

British Library
96 Euston Road, NW1 2DB
bl.uk

Bunhill Fields
38 City Road, EC1Y 1AU
cityoflondon.gov.uk

Burlington Arcade
51 Piccadilly, W1J 0QJ
burlington-arcade.co.uk

Café St Germain
16-17 Crystal Palace Parade, SE19 1UA
cafestgermain.com

Camley Street Natural Park
12 Camley Street, N1C 4PW
wildlondon.org.uk

Casas do Parlamento
St Margaret Street, SW1A 0AA
parliament.uk/visiting

Clink Prison Museum
1 Clink Street, SE1 9DG
clink.co.uk

Coffee Plant
180 Portobello Road, W11 2EB
coffee.uk.com

Columbia Road Market
Columbia Road, E2 7RG
columbiaroad.info

Del'Aziz
5 Canvey Street, SE1 9AN
delaziz.co.uk

Design Museum
28 Shad Thames, SE1 2YD
designmuseum.org

Dover Street Market
17-18 Dover Street, W1S 4LT
doverstreetmarket.com

Durbar Tandoori Restaurant
24 Hereford Road, W2 4AA
durbartandoori.co.uk

Elliot's Café
12 Stoney Street, SE1 9AD
elliotscafe.com

Exmouth Market
Exmouth Market, EC1R 4QL
exmouth-market.com

Fashion & Textile Museum
83 Bermondsey Street, SE1 3XF
ftmlondon.org

Fernandez & Wells
43 Lexington Street, W1F 9AL
fernandezandwells.com

Fez Mangal
104 Ladbroke Grove, W11 1PY
fezmangal.com

Fix Coffee
161 Whitecross Street, EC1Y 8JL
fix-coffee.co.uk

Flat White
17 Berwick Street, W1F 0PT
flatwhitecafe.com

Freud Museum
20 Maresfield Gardens, NW3 5SX
freud.org.uk

Ginger & White
4a-5a Perrin's Court, NW3 1QS
gingerandwhite.com

Gray's Antiques Market
7 Davies Mews, W1K 5AB
graysantiques.com

Green Park
royalparks.org.uk

Hackney City Farm
1a Goldsmith's Row, E2 8QA
hackneycityfarm.co.uk

Hampstead Heath (estação)
South End Road, NW3 2QD
nationalrail.co.uk

Hampstead Observatory
Lower Terrace, NW3
hampsteadscience.ac.uk

Handel House Museum
25 Brook Street, W1K 4HB
handelhouse.org

Hardy Tree
St Pancras Old Church, Pancras Road, NW1 1UL

Highgate (cemitério)
Swain's Lane, N6 6PJ
highgate-cemetery.org

Honest Jon's Records
278 Portobello Road, W10 5TE
honestjons.com

Keats Museum
10 Keats Grove, NW3 2RR
keatshouse.cityoflondon.gov.uk

Kenwood House
Hampstead Lane, NW3 7JR
english-heritage.org.uk

Kingly Court
Kingly Court, W1B 5PW
carnaby.co.uk

Kirkaldy Testing Museum
99 Southwark Street, SE1 0JF
testingmuseum.org.uk

Labour and Wait
85 Redchurch Street, E2 7DJ
labourandwait.co.uk

Liberty
Regent Street, W1B 5AH
liberty.co.uk

Lisboa Patisserie
57 Golborne Road, W10 5NR

London Glassblowing Studio & Gallery
62-66 Bermondsey Street, SE1 3UD
londonglassblowing.co.uk

Lowry & Baker
339 Portobello Road, W10 5SA
lowryandbaker.com

Maltby Street Market
Maltby Street, SE1 3PD
maltbystmarket.com

Mani's
12 Perrin's Court, NW3 1QS

Maria's Market Café
Borough Market, SE1 1TL
boroughmarket.org.uk

Meanwhile Gardens
Elkstone Road, W10 5NT
meanwhile-gardens.org.uk

Ministry of Sound
103 Gaunt Street, SE1 6DP
ministryofsound.com

Monmouth Coffee Company
34-36 Maltby Street, SE1 3PA
monmouthcoffee.co.uk

Museum of Brands, Packaging and Advertising
2 Colville Mews, W11 2AR
museumofbrands.com

National Gallery
Trafalgar Square, WC2N 5DN
nationalgallery.org.uk

Natural History Museum
Cromwell Road, SW7 5BD
nhm.ac.uk

Nordic Bakery
14A Golden Square, W1F 9JG
nordicbakery.com

Nude Espresso
26 Hanbury Street, E1 6QR
nudeespresso.com

Old Operating Theatre Museum
9a St Thomas Street, SE1 9RY
thegarret.org.uk

Oliver's Village Café
92 Belsize Lane, NW3 5BE
oliversvillagecafe.com

Osteria Basilico
29 Kensington Park Road, W11 2EU
osteriabasilico.co.uk

Phonica
51 Poland Street, W1F 7LZ
phonicarecords.com

Photographers' Gallery
16-18 Ramillies Street, W1F 7LW
thephotographersgallery.org.uk

Pillars of Hercules
7 Greek Street, W1D 4DF

Pizza East
310 Portobello Road, W10 5TA
pizzaeastportobello.com

Portobello Road Market
portobellomarket.org

Prefeitura
The Queen's Walk, SE1 2AA
london.gov.uk/city-hall

Puppet Theatre Barge
Little Venice, W9 2PF
puppetbarge.com

Raoul's Café
105-107 Talbot Road, W11 2AT
raoulsgourmet.com

Ray's Jazz at Foyle's
196 Tottenham Court Road, W1T 7LQ
foyles.co.uk/rays-jazz-music

Regent's Park
royalparks.org.uk

Rochelle Canteen
Arnold Circus, E2 7ES
arnoldandhenderson.com

Ronnie Scott's Jazz Club
47 Frith Street, W1D 4HT
ronniescotts.co.uk

Rough Trade
130 Talbot Road, W11 1JA
roughtrade.com

Royal Albert Hall
Kensington Gore, SW7 2AP
royalalberthall.com

St John-at-Hampstead
Church Row, NW3 6UU
hampsteadparishchurch.org.uk

Science Museum
Exhibition Road, SW7 2DD
sciencemuseum.org.uk

Scott's
20 Mount Street, W1K 2HE
scotts-restaurant.com

Serpentine Gallery
Kensington Gardens, W2 3XA
serpentinegallery.org

Serpentine Lido
Hyde Park, W2 2UH
serpentinelido.com

Shakespeare's Globe
21 New Globe Walk, SE1 9DT
shakespearesglobe.com

Shepherd Market
Shepherd Street, W1J 7PH
shepherdmarket.co.uk

Simply Scrumptious
9 Flask Walk, NW3 1HJ
simplyscrumptiousbars.co.uk

Smithfield Market
201-232 Charterhouse Street, EC1M 6JN
smithfieldmarket.com

South Bank
Belvedere Road, SE1 8XX
southbankcentre.co.uk

Spitalfields Market
Brushfield Street, E1 6AA
spitalfields.co.uk

Stables Yard
Chalk Farm Road, NW1 8AH
camdenlock.net

Stella McCartney
30 Bruton Street, W1J 6QR
stellamccartney.com

Tate Modern
Bankside, SE1 9TG
tate.org.uk

The Blue Posts
6 Bennet Street, SW1A 1RP
taylor-walker.co.uk

The Book Club
100-106 Leonard Street, EC2A 4RH
wearetbc.com

The Breakfast Club
33 D'Arblay Street, W1F 8EU
thebreakfastclubcafes.com

The Flask (Hampstead)
14 Flask Walk, NW3 1HE
theflaskhampstead.co.uk

The Flask (Highgate)
77 Highgate West Hill,
N6 6BU
theflaskhighgate.com

The Garrison
99 Bermondsey Street,
SE1 3XB
thegarrison.co.uk

The George Inn
75-77 Borough High Street,
SE1 1NH
nationaltrust.org.uk

The John Snow
39 Broadwick Street, W1F 9QJ

The Ledbury
127 Ledbury Road, W11 2AQ
theledbury.com

The Macbeth
70 Hoxton Street, N1 6LP
themacbeth.co.uk

The Old Shoreditch Station
1 Kingsland Road, E2 8AA
jaguarshoes.com

The Red Lion
41 Hoxton Street, N1 6NH
redlionhoxtonst.com

The Red Lion & Sun
25 North Road, N6 4BE
theredlionandsun.com

The Shard
32 London Bridge Street,
SE1 9SY
the-shard.com

The Spaniards Inn
Spaniard's Road, NW3 7JJ
thespaniardshampstead.co.uk

The Spice Shop
1 Blenheim Crescent, W11 2EE
thespiceshop.co.uk

The Tabernacle
34-35 Powis Square, W11 2AY
tabernaclew11.com

The Travel Bookshop
13 Blenheim Crescent,
W11 2EE
thetravelbookshop.co.uk

The Wells
30 Well Walk, NW3 1BX
thewellshampstead.co.uk

The Woolpack
98 Bermondsey Street,
SE1 3UB
woolpackbar.com

The Wrestlers
98 North Rd, N6 4AA
thewrestlershighgate.com

Torre de Londres
Tower Hill, EC3N 4AB
hrp.org.uk

Total Organics Juice Bar
Borough Market, SE1 1TL
boroughmarket.org.uk

Tower Bridge
Tower Bridge Road, SE1 2UP
towerbridge.org.uk

Towpath
Regent's Canal, N1 5SB
towpathcafe.wordpress.com

Trellick Tower
7 Golborne Road, W10 5NY

Truman Brewery
91 Brick Lane, E1 6QL
trumanbrewery.com

Two Willow Road
2 Willow Road, NW3 1TH
nationaltrust.org.uk

Victoria & Albert Museum
Cromwell Road, SW7 2RL
vam.ac.uk

Waterside Café
Warwick Crescent, W2 6NE

Wellington Arch
Hyde Park Corner, W1J 7JZ
english-heritage.org.uk

White Cube
144-152 Bermondsey Street,
SE1 3TQ
whitecube.com

LOJAS, CLUBES, CORRIDAS E LOCAIS PARA CICLISMO

Se quiser links para rotas de corrida e treino, acesse **citycyclingguides.com**

Barclays Cycle Hire
tfl.gov.uk/roadusers/cycling

Barclays Cycle Superhighways
tfl.gov.uk/roadusers/cycling

Bespoke Cycling
143-145 Farringdon Road,
EC1R 3AB
bespokecycling.com

Bicycle Workshop
27 All Saints Road, W11 1HE
bicycleworkshop.co.uk

Cloud 9 Cycles
38 Store Street, WC1E 7DB
cloud9cycles.com

Condor Cycles
49-53 Grays Inn Road,
WC1X 8PP
condorcycles.com

Foffa
Unit 9, Pinchin Street, E1 1SA
foffabikes.com

Herne Hill Velodrome
104 Burbage Road, SE24 9HE
hernehillvelodrome.com

Kinoko Cycles
10 Golden Square, W1F 9JA
tokyofixed.co.uk

Lock 7 Cycle Café
129 Pritchard's Road, E2 9AP
lock-7.com

London Velopark
Olympic Park, E20 3EL
london2012.com/venue/velodrome

Look Mum, No Hands
49 Old Street, EC1V 9HX
lookmumnohands.com

On Your Bike
52-54 Tooley Street, SE1 2SZ
onyourbike.com

Pretorius
2 Drysdale Street, N1 6NA
pretoriusbikes.com

Prova de tempo individual masculina
Surrey (44km [27 miles])
london2012.com/cycling-road/event/men-time-trial/coursemap

Rapha Cycle Club
85 Brewer Street, W1F 9ZN
rapha.cc

Rollapaluza
rollapaluza.com

Slack Cycling
32B St Lawrence Terrace, W10 5SX
slackcycling.com

Velo Club Londres
vcl.org.uk

Velorution
88 Great Portland Street, W1W 7NS
velorution.com

OUTROS SITES ÚTEIS

Eurostar
St Pancras International, Euston Road, N1C 4QL
eurostar.com

Heathrow Airport
Croydon Road, TW6 1AP
heathrowairport.com

Legible London
tfl.gov.uk/microsites/legible-london

London City Airport
Royal Docks, E16 2PX
londoncityairport.com

Metrô de Londres
tfl.gov.uk/tube

National Rail
nationalrail.co.uk

Thames Clippers
thamesclippers.com

Transport for London
tfl.gov.uk

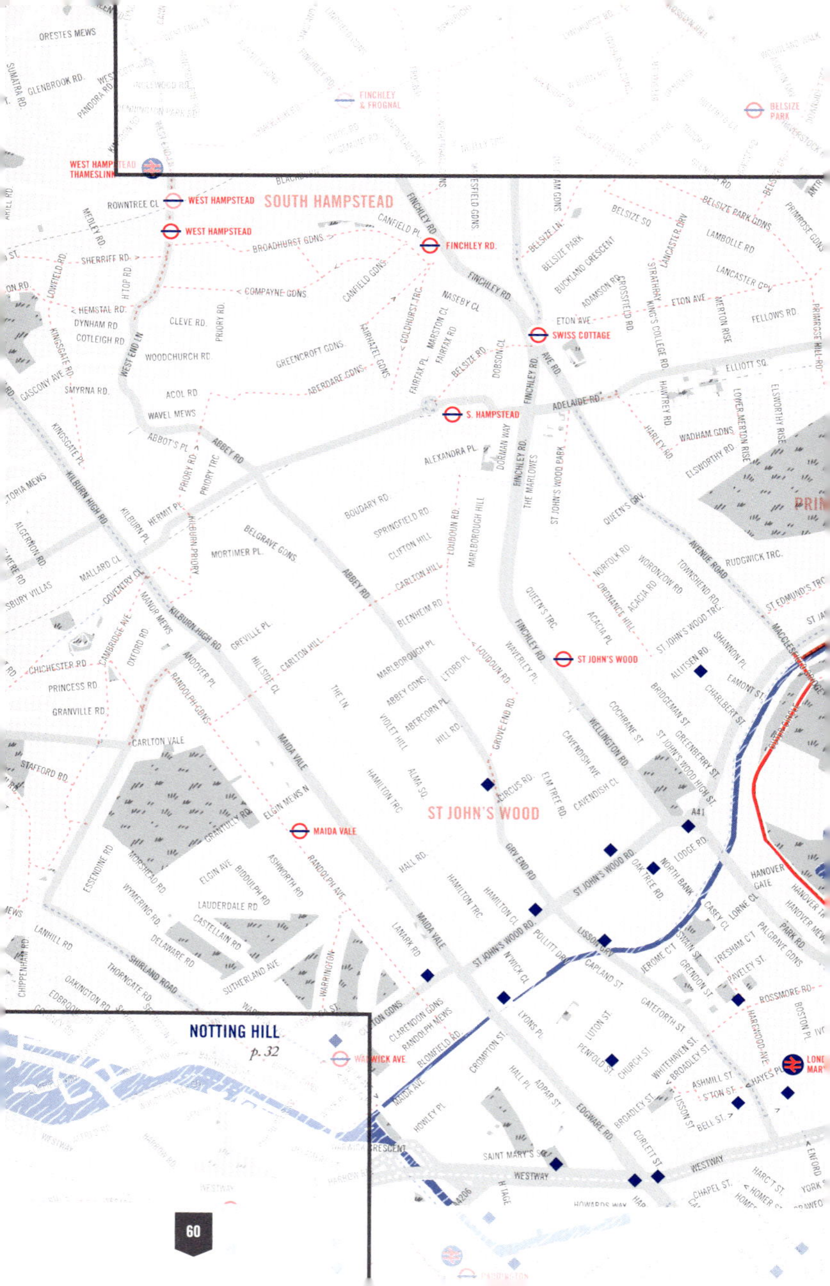

NOTTING HILL

p. 32

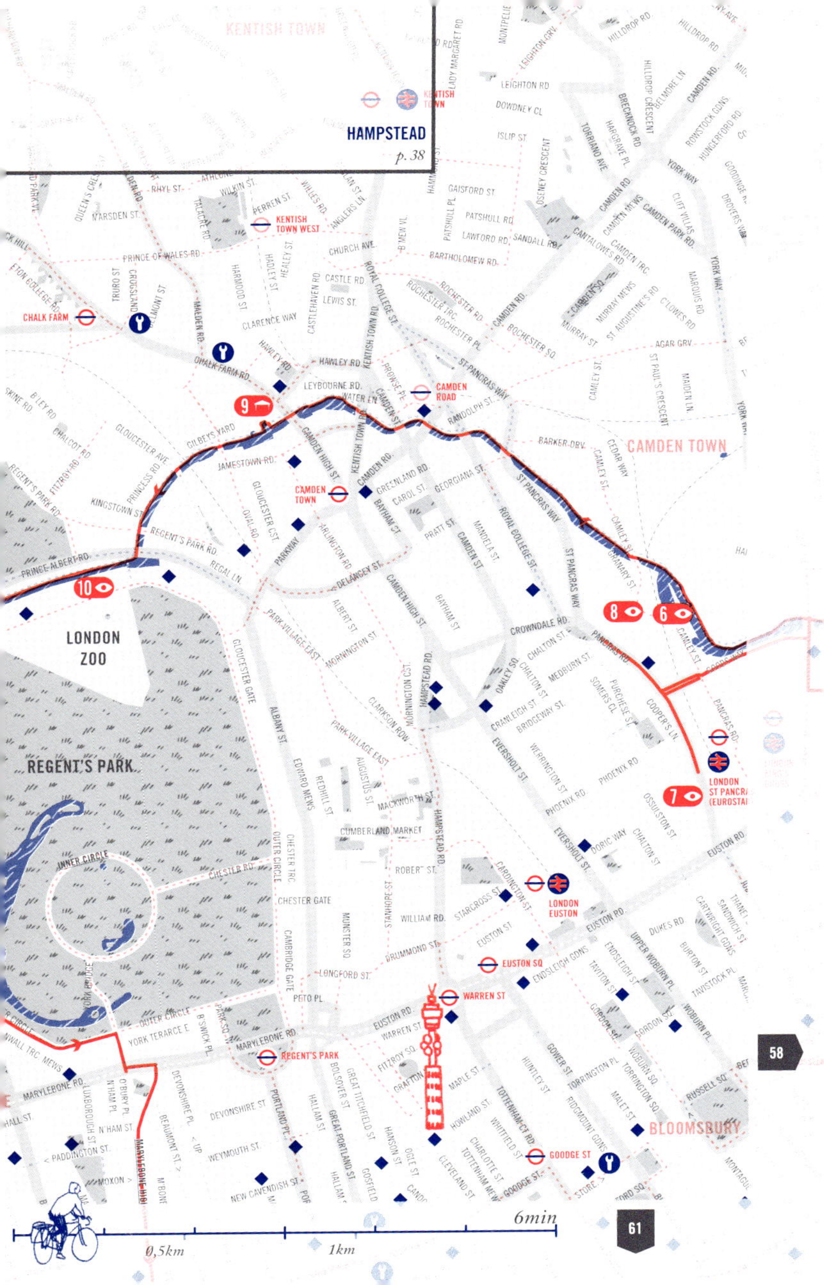

HAMPSTEAD
p. 38
KENTISH TOWN
KENTISH TOWN WEST
CHALK FARM
CAMDEN ROAD
CAMDEN TOWN
LONDON ZOO
REGENT'S PARK
INNER CIRCLE
LONDON EUSTON
EUSTON SQ
WARREN ST
REGENT'S PARK
GOODGE ST
LONDON ST PANCR
BLOOMSBURY
9
10
8
6
7
58
61
6min
0,5km
1km

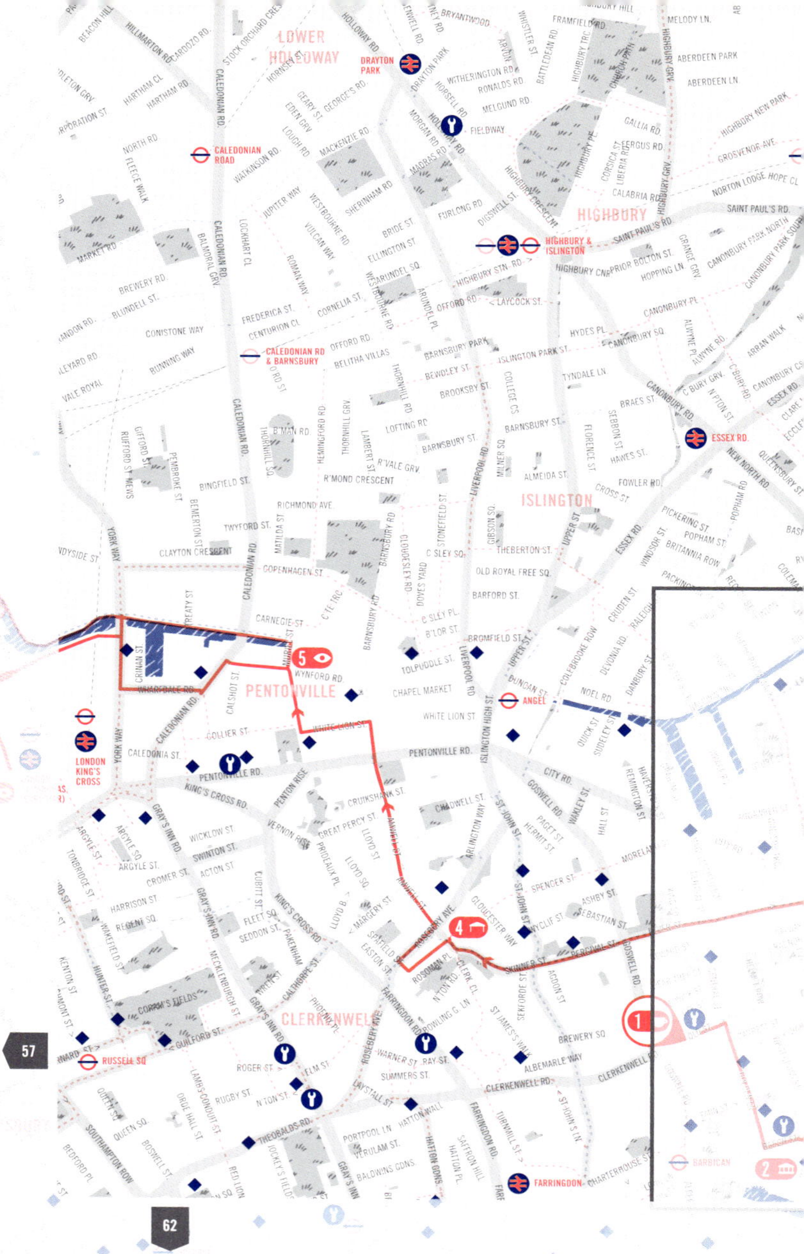
LOWER HOLLOWAY
DRAYTON PARK
CALEDONIAN ROAD
HIGHBURY
HIGHBURY & ISLINGTON
CALEDONIAN RD & BARNSBURY
ESSEX RD.
ISLINGTON
PENTONVILLE
ANGEL
LONDON KING'S CROSS
CLERKENWELL
RUSSELL SQ
FARRINGDON
BARBICAN
CALEDONIAN RD.
HOLLOWAY RD.
HIGHBURY GRV.
UPPER ST.
LIVERPOOL RD.
ESSEX RD.
YORK WAY
PENTONVILLE RD.
KING'S CROSS RD.
CITY RD.
GOSWELL RD.
ST. JOHN ST.
GRAY'S INN RD.
ROSEBERY AVE.
FARRINGDON RD.
CLERKENWELL RD.
THEOBALDS RD.
COPENHAGEN ST.
WHITE LION ST.
AMWELL ST.
WHARFDALE RD.
WYNFORD RD.
CHAPEL MARKET
CORAM'S FIELDS
57
62

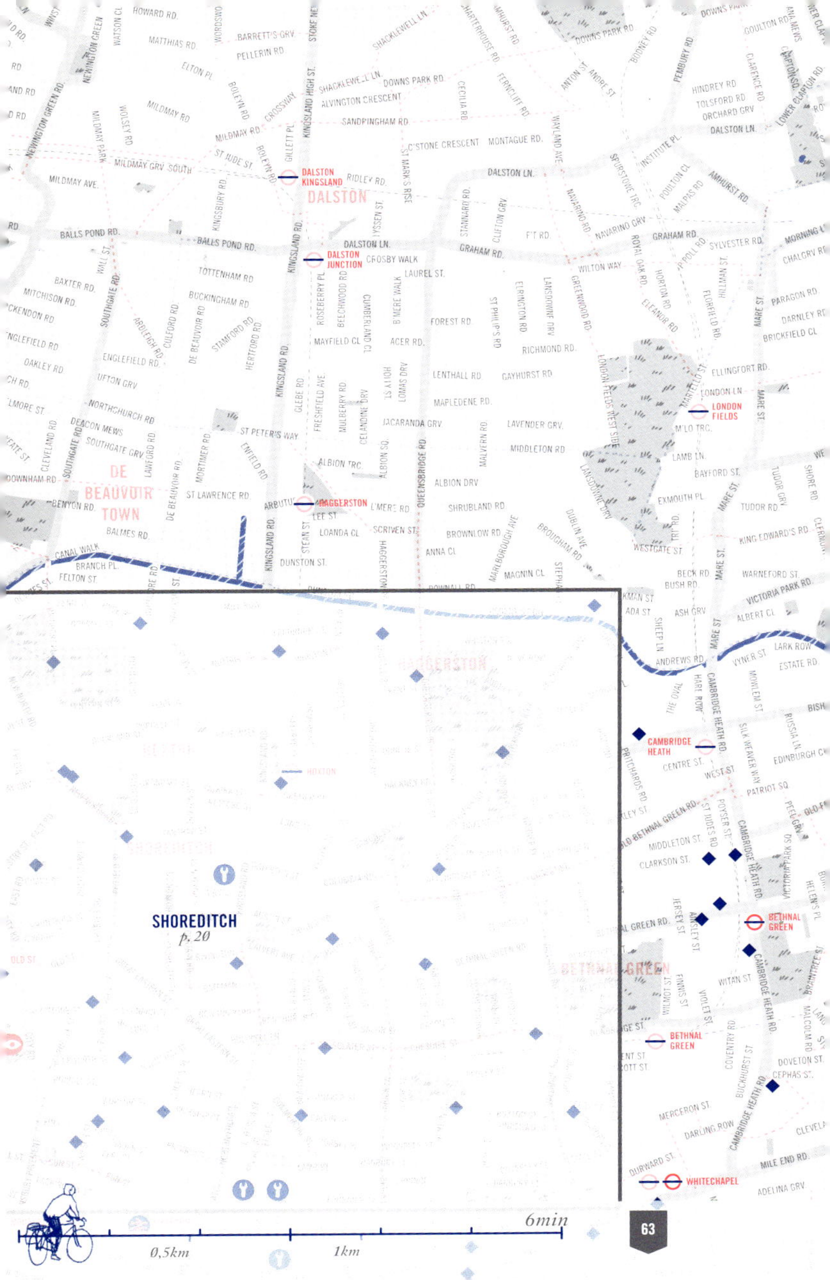
DALSTON
DALSTON KINGSLAND
DALSTON JUNCTION
DE BEAUVOIR TOWN
HAGGERSTON
LONDON FIELDS
CAMBRIDGE HEATH
BETHNAL GREEN
WHITECHAPEL
SHOREDITCH
p. 20
HOWARD RD.
MATTHIAS RD.
BARRETT'S GRV.
PELLERIN RD.
STOKE NEWINGTON HIGH ST.
NEWINGTON GREEN RD.
ELTON PL.
MILDMAY RD.
MILDMAY GRV. SOUTH
MILDMAY AVE.
ST JUDE ST.
SHACKLEWELL LN.
DOWNS PARK RD.
ALVINGTON CRESCENT
SANDRINGHAM RD.
KINGSLAND HIGH ST.
G'STONE CRESCENT
MONTAGUE RD.
DALSTON LN.
RIDLEY RD.
BALLS POND RD.
KINGSLAND RD.
CROSBY WALK
GRAHAM RD.
NAVARINO GRV.
AMHURST RD.
PEMBURY RD.
DOWNS PARK RD.
HINDREY RD.
TOLSFORD RD.
ORCHARD GRV.
DALSTON LN.
LOWER CLAPTON RD.
TOTTENHAM RD.
BUCKINGHAM RD.
BAXTER RD.
MITCHISON RD.
ENGLEFIELD RD.
OAKLEY RD.
UFTON GRV.
NORTHCHURCH RD.
SOUTHGATE RD.
SOUTHGATE GRV.
DEACON MEWS
ST PETER'S WAY
ST LAWRENCE RD.
BALMES RD.
CANAL WALK
BRANCH PL.
FELTON ST.
MAYFIELD CL.
ACER RD.
LAUREL ST.
FOREST RD.
LENTHALL RD.
GAYHURST RD.
MAPLEDENE RD.
JACARANDA GRV.
LAVENDER GRV.
MIDDLETON RD.
ALBION TRC.
ALBION DRV.
SHRUBLAND RD.
BROWNLOW RD.
ANNA CL.
QUEENSBRIDGE RD.
LOANDA CL.
SCRIVEN ST.
DUNSTON ST.
RICHMOND RD.
WILTON WAY
LONDON FIELDS WEST SIDE
MARE ST.
ELLINGFORT RD.
LONDON LN.
LAMB LN.
BAYFORD ST.
EXMOUTH PL.
WESTGATE ST.
TUDOR RD.
KING EDWARD'S RD.
WARNEFORD ST.
VICTORIA PARK RD.
ANDREWS RD.
CAMBRIDGE HEATH RD.
CENTRE ST.
WEST ST.
OLD BETHNAL GREEN RD.
MIDDLETON ST.
CLARKSON ST.
PATRIOT SQ.
VICTORIA PARK SQ.
WITAN ST.
MERCERON ST.
DARLING ROW
DURWARD ST.
MILE END RD.
ADELINA GRV.
DOVETON ST.
CEPHAS ST.
0,5km
1km
6min

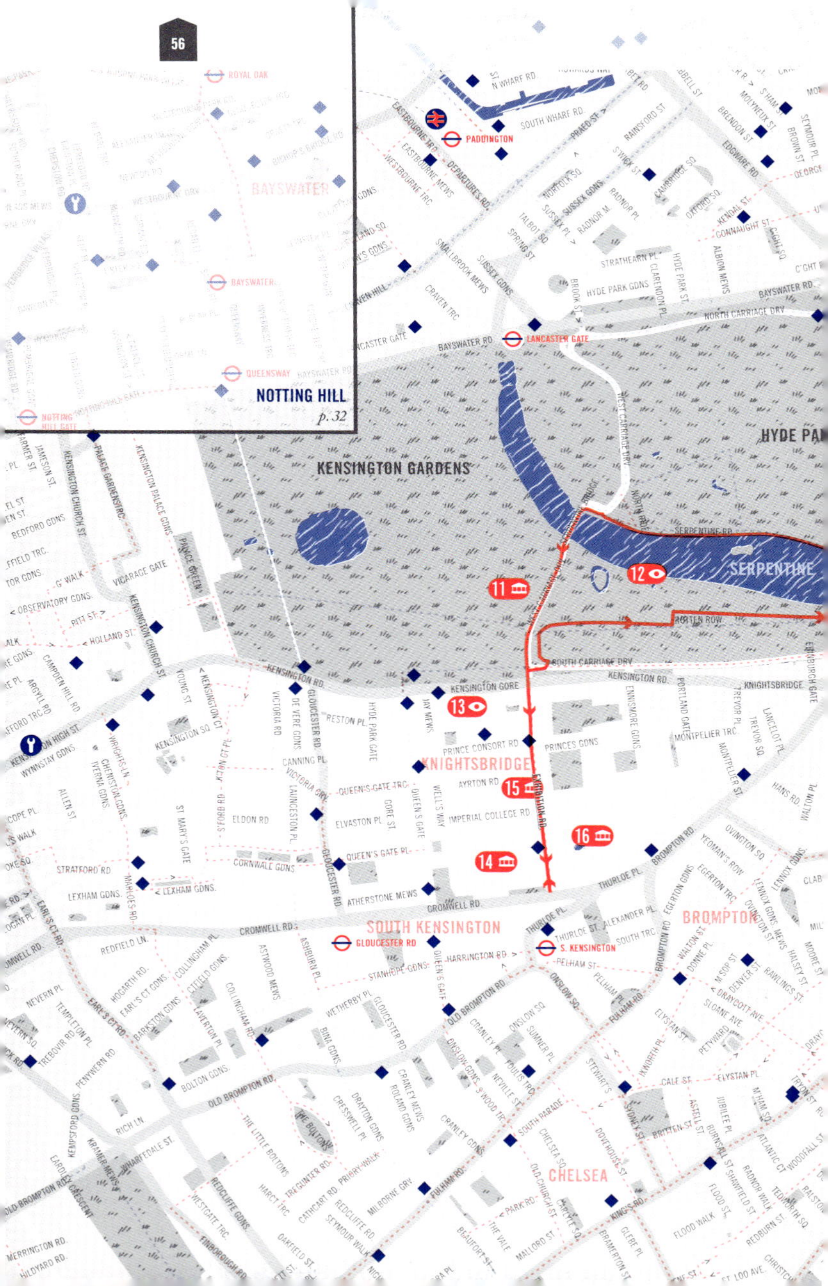

ROYAL OAK
BAYSWATER
BAYSWATER
QUEENSWAY
NOTTING HILL GATE
NOTTING HILL
p. 32
PADDINGTON
SOUTH WHARF RD.
PRAED ST.
EASTBOURNE TRC.
WESTBOURNE TRC.
DEPARTURES RD.
SUSSEX GDNS.
NORFOLK SQ.
RADNOR PL.
CAMBRIDGE SQ.
OXFORD SQ.
EDGWARE RD.
CONNAUGHT ST.
STRATHEARN PL.
HYDE PARK GDNS.
HYDE PARK ST.
CLARENDON PL.
ALBION MEWS
BAYSWATER RD.
NORTH CARRIAGE DRV
CRAVEN HILL
CRAVEN TRC.
LANCASTER GATE
LANCASTER GATE
KENSINGTON GARDENS
HYDE PARK
WEST CARRIAGE DRV
SERPENTINE RD.
SERPENTINE
ROTTEN ROW
SOUTH CARRIAGE DRV
KENSINGTON RD.
KNIGHTSBRIDGE
KENSINGTON GORE
PRINCE CONSORT RD.
PRINCES GDNS.
ENNISMORE GDNS.
MONTPELIER TRC.
TREVOR PL.
TREVOR SQ.
LANCELOT PL.
HANS RD.
KNIGHTSBRIDGE
AYRTON RD.
EXHIBITION RD.
IMPERIAL COLLEGE RD.
QUEEN'S GATE TRC.
ELVASTON PL.
QUEEN'S GATE PL.
GLOUCESTER RD.
CORNWALL GDNS.
ATHERSTONE MEWS
CROMWELL RD.
SOUTH KENSINGTON
GLOUCESTER RD
S. KENSINGTON
THURLOE PL.
THURLOE ST.
ALEXANDER PL.
BROMPTON RD.
BROMPTON
HARRINGTON RD.
STANHOPE GDNS.
PELHAM ST.
OLD BROMPTON RD.
ONSLOW SQ.
FULHAM RD.
SYDNEY ST.
CHELSEA
KING'S RD.
KENSINGTON HIGH ST.
KENSINGTON CHURCH ST.
KENSINGTON PALACE GDNS.
PALACE GREEN
VICARAGE GATE
HOLLAND ST.
KENSINGTON SQ.
KENSINGTON CT.
STRATFORD RD.
LEXHAM GDNS.
EARL'S CT RD.
REDFIELD LN.
COLLINGHAM PL.
BOLTON GDNS.
THE BOLTONS
REDCLIFFE GDNS.
CATHCART RD.
ELYSTAN ST.
CALE ST.
BRITTEN ST.
11
12
13
14
15
16

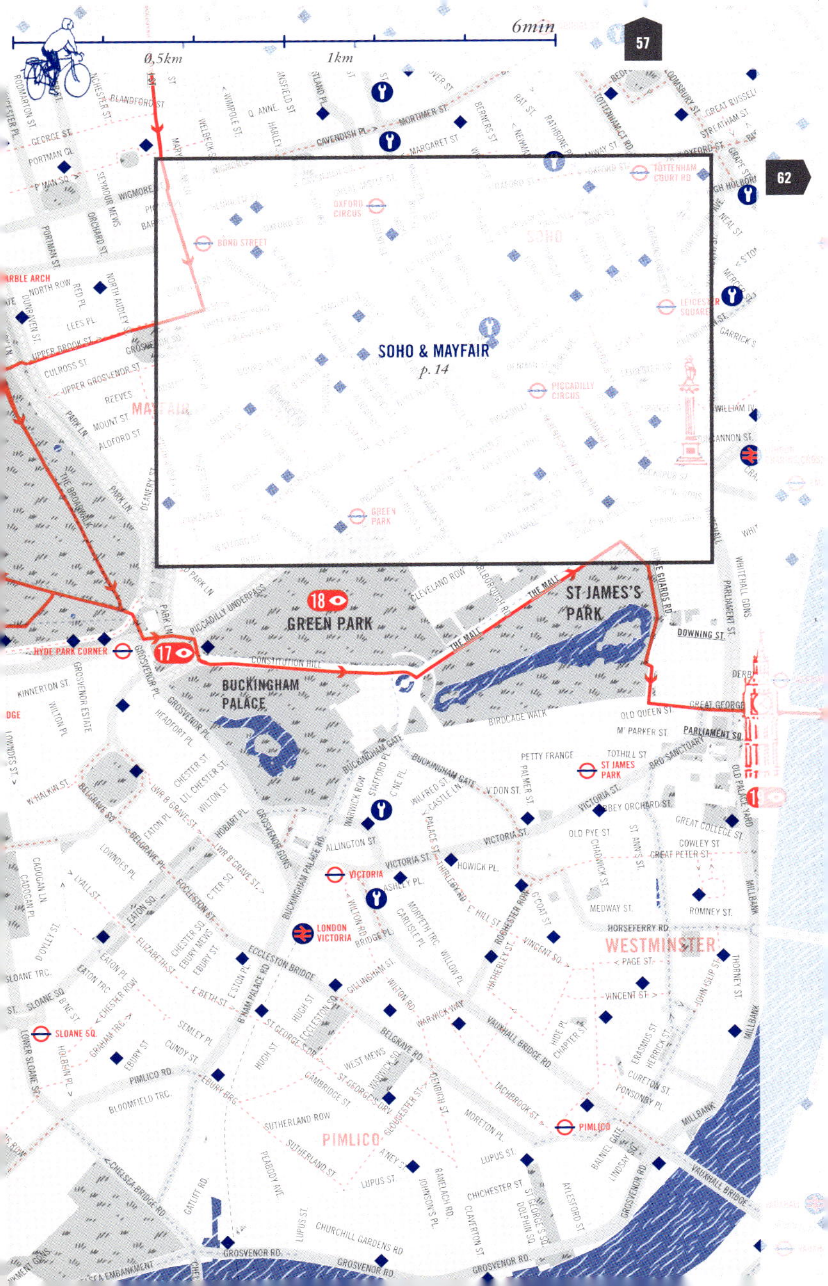

6min
0,5km
1km
57
62
SOHO & MAYFAIR
p. 14
MAYFAIR
BOND STREET
OXFORD CIRCUS
TOTTENHAM COURT RD
LEICESTER SQUARE
PICCADILLY CIRCUS
GREEN PARK
18
GREEN PARK
17
HYDE PARK CORNER
BUCKINGHAM PALACE
ST JAMES'S PARK
ST JAMES PARK
VICTORIA
LONDON VICTORIA
WESTMINSTER
PIMLICO
PIMLICO
SLOANE SQ.
BLANDFORD ST
GEORGE ST
PORTMAN CL.
WIGMORE ST
MORTIMER ST
CAVENDISH PL
MARGARET ST
BERNERS ST
RATHBONE PL
WIMPOLE ST
WELBECK ST
HARLEY ST
PORTMAN ST
ORCHARD ST
SEYMOUR MEWS
NORTH ROW
RED PL
LEES PL
NORTH AUDLEY ST
UPPER BROOK ST
CULROSS ST
UPPER GROSVENOR ST
REEVES
MOUNT ST
ALDFORD ST
PARK LN
THE BROADWALK
DEANERY ST
PARK LN
PICCADILLY UNDERPASS
CLEVELAND ROW
MARLBOROUGH RD
THE MALL
THE MALL
HORSE GUARDS RD
DOWNING ST
PARLIAMENT ST
WHITEHALL GDNS
GREAT GEORGE ST
OLD QUEEN ST
M' PARKER ST
PARLIAMENT SQ
CONSTITUTION HILL
BIRDCAGE WALK
KINNERTON ST
GROSVENOR ESTATE
WILTON PL
GROSVENOR PL
GROSVENOR PL
HEADFORT PL
CHESTER ST
LTL CHESTER ST
WILTON ST
HOBART PL
GROSVENOR GDNS
BUCKINGHAM GATE
BUCKINGHAM GATE
STAFFORD PL
WARWICK ROW
PETTY FRANCE
TOTHILL ST
BRD SANCTUARY
PALMER ST
VICTORIA ST
VICTORIA ST
ABBEY ORCHARD ST
GREAT COLLEGE ST
OLD PALACE YARD
OLD PYE ST
CHADWICK ST
ST ANN'S ST
COWLEY ST
GREAT PETER ST
MEDWAY ST
ROMNEY ST
HORSEFERRY RD
MILLBANK
PAGE ST
VINCENT ST
JOHN ISLIP ST
THORNEY ST
ALLINGTON ST
ASHLEY PL
HOWICK PL
ROCHESTER ROW
VINCENT SQ
BELGRAVE SQ
BELGRAVE PL
ECCLESTON ST
LOWNDES PL
EATON SQ
ELIZABETH ST
CHESTER SQ
EBURY MEWS
EBURY ST
BUCKINGHAM PALACE RD
ECCLESTON BRIDGE
GILLINGHAM ST
WILTON RD
BELGRAVE RD
WARWICK WAY
VAUXHALL BRIDGE RD
TACHBROOK ST
MORETON PL
LUPUS ST
CHICHESTER ST
ST GEORGE'S SQ
DOLPHIN SQ
AYLESFORD ST
CLAVERTON ST
GROSVENOR RD
GROSVENOR RD
GROSVENOR RD
CHURCHILL GARDENS RD
JOHNSON'S PL
RANELAGH RD
SUTHERLAND ROW
SUTHERLAND ST
PEABODY AVE
GATLIFF RD
CHELSEA BRIDGE RD
BLOOMFIELD TRC.
PIMLICO RD.
CUNDY ST
SEMLEY PL
HUGH ST
WEST MEWS
WARWICK SQ
ST GEORGE'S DRV
GLOUCESTER ST
DENBIGH ST
CAMBRIDGE ST
ERASMUS ST
HERRICK ST
CURETON ST
PONSONBY PL
BALNIEL GATE
LINDSAY SQ.
VAUXHALL BRIDGE
SLOANE TRC.
D'OYLEY ST
CADOGAN LN.
LYALL ST
EATON PL
EATON TRC
CHESTER ROW
GRAHAM TRC.
HOLBEIN PL
LOWER SLOANE ST
CHELSEA EMBANKMENT

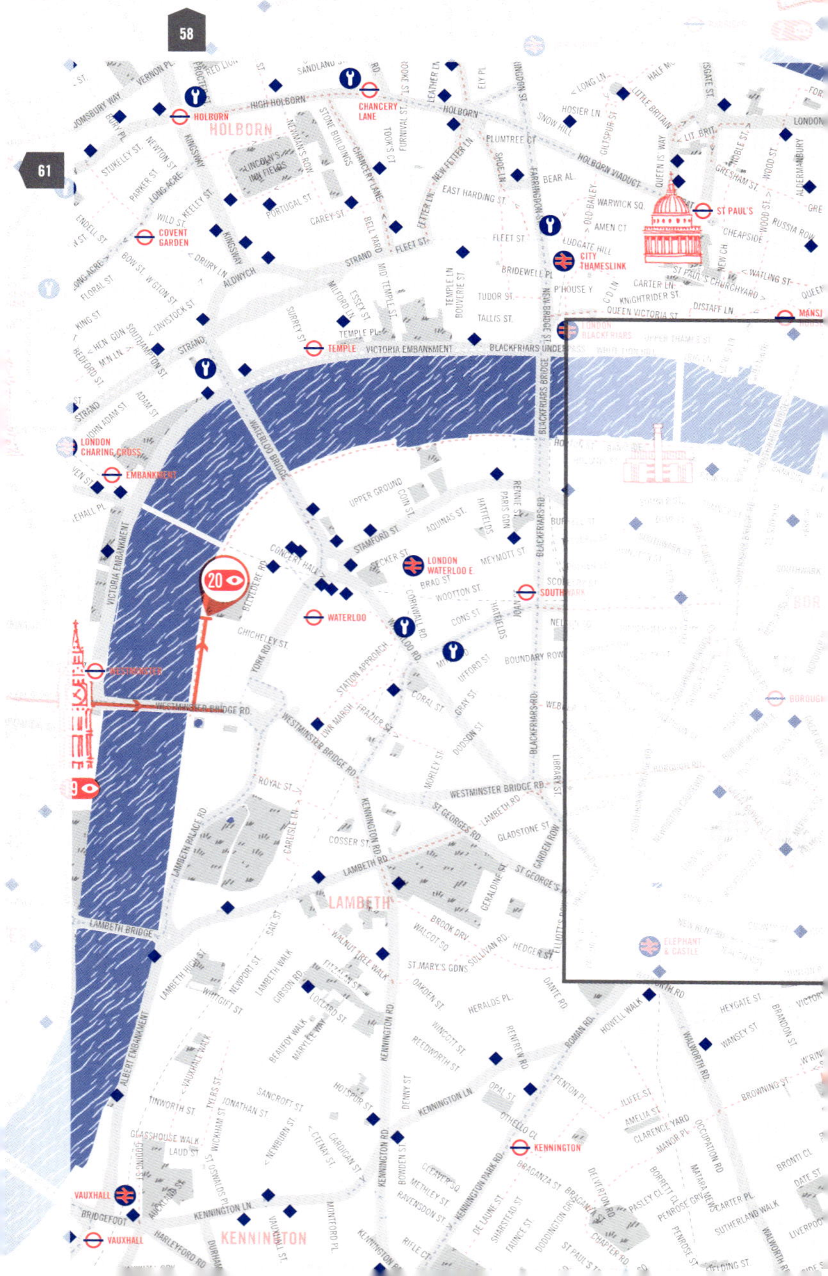
58
61
HOLBORN
HOLBORN
CHANCERY LANE
HIGH HOLBORN
LINCOLN'S INN FIELDS
KINGSWAY
STRAND
ALDWYCH
FLEET ST.
CHANCERY LANE
FETTER LN.
NEW FETTER LN.
HOLBORN VIADUCT
FARRINGDON ST.
NEW BRIDGE ST.
SNOW HILL
OLD BAILEY
LUDGATE HILL
ST PAUL'S
CHEAPSIDE
ST PAUL'S CHURCHYARD
QUEEN VICTORIA ST.
CITY THAMESLINK
BRIDEWELL PL
CARTER LN
KNIGHTRIDER ST.
TUDOR ST.
TALLIS ST.
COVENT GARDEN
DRURY LN
LONG ACRE
TEMPLE
VICTORIA EMBANKMENT
BLACKFRIARS UNDERPASS
LONDON BLACKFRIARS
BLACKFRIARS BRIDGE
WATERLOO BRIDGE
LONDON CHARING CROSS
EMBANKMENT
UPPER GROUND
STAMFORD ST.
CONCERT HALL
LONDON WATERLOO E.
WATERLOO
SOUTHWARK
20
BELVEDERE RD
CHICHELEY ST.
YORK RD.
WESTMINSTER
WESTMINSTER BRIDGE RD.
BLACKFRIARS RD.
BOUNDARY ROW
STATION APPROACH
LOWER MARSH
ROYAL ST.
KENNINGTON RD.
LAMBETH RD.
ST GEORGES RD.
LAMBETH
LAMBETH PALACE RD.
LAMBETH BRIDGE
ALBERT EMBANKMENT
LAMBETH HIGH ST.
ELEPHANT & CASTLE
KENNINGTON LN.
KENNINGTON
KENNINGTON PARK RD.
WALWORTH RD.
VAUXHALL
VAUXHALL
BRIDGEFOOT
HARLEYFORD RD
KENNINGTON

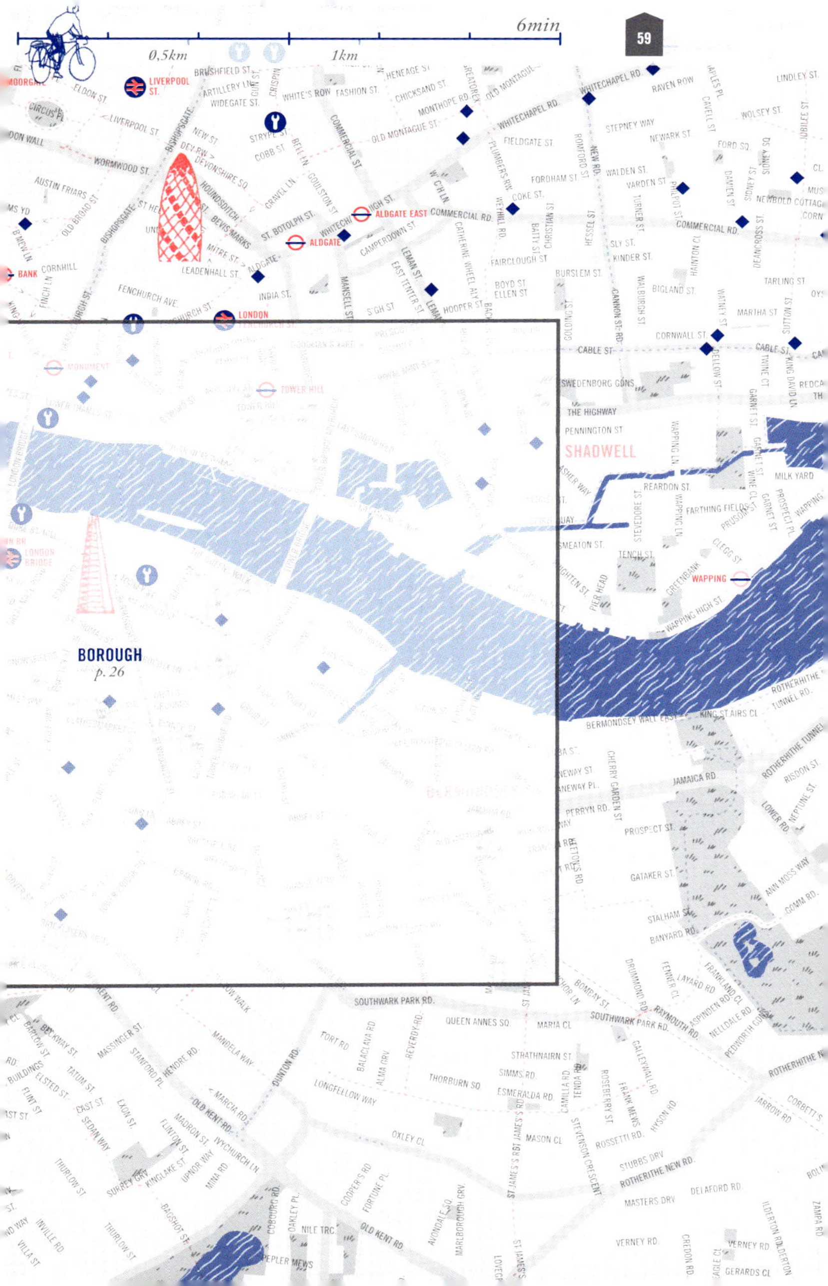
6min
0,5km
1km
LIVERPOOL ST.
MOORGATE
BANK
ALDGATE
ALDGATE EAST
LONDON FENCHURCH ST.
MONUMENT
TOWER HILL
LONDON BRIDGE
SHADWELL
WAPPING
BOROUGH
p. 26
WHITECHAPEL RD.
COMMERCIAL RD.
COMMERCIAL ST.
CABLE ST.
THE HIGHWAY
WAPPING HIGH ST.
BERMONDSEY WALL EAST
JAMAICA RD.
SOUTHWARK PARK RD.
OLD KENT RD.
ROTHERHITHE NEW RD.
LEADENHALL ST.
FENCHURCH AVE.
BISHOPSGATE
HOUNDSDITCH
CANNON ST. RD.
NEW RD.
SWEDENBORG GDNS.
PENNINGTON ST.
QUEEN ANNES SQ.
STRATHNAIRN ST.
DUNTON RD.
LONGFELLOW WAY
MANDELA WAY
ST. JAMES'S RD.
STEVENSON CRESCENT

A Rapha, com sede em Londres, sempre foi defensora do ciclismo urbano – desde o teste de protótipos de camisetas nos serviços de entrega em bicicleta até a fabricação de uma ampla linha de produtos projetados especialmente para as necessidades do dia a dia de ciclistas. Além da loja on-line com produtos, filmes, fotos e histórias, a Rapha possui uma rede crescente de Cycle Clubs – locais pelo mundo afora onde os ciclistas podem desfrutar corridas, comida, bebida e produtos. É a fornecedora oficial dos uniformes da Team Sky, principal equipe de ciclismo do mundo.

Rapha®